A ARTE DE NEGOCIAR

Nos lugares onde não existe ponte, faça uma jangada! Prospere a sua mentalidade!

CONHEÇA NOSSO LIVROS
ACESSANDO AQUI!

Copyright desta tradução © IBC - Instituto Brasileiro De Cultura, 2023

Reservados todos os direitos desta tradução e produção, pela lei 9.610 de 19.2.1998.

1ª Impressão 2023

Presidente: Paulo Roberto Houch
MTB 0083982/SP

Coordenação Editorial: Priscilla Sipans
Coordenação de Arte: Rubens Martim
Capa: Rubens Martim
Edição: Aline Ribeiro
Diagramação: Shantala Ambrosi
Preparação de textos: Jéssica Mendes (A Arte de Negociar)
e Luciana Siqueira (Como se Livrar de uma Mentalidade Medíocre)

Vendas: Tel.: (11) 3393-7727 (comercial2@editoraonline.com.br)

Foi feito o depósito legal.
Impressão no Brasil

Dados Internacionais de Catalogação na Publicação (CIP)
de acordo com ISBD

C181a   Camelot Editora

A Arte de Negociar - Pablo Marçal / Camelot Editora. - Barueri : Camelot Editora, 2023.
180 p. ; 15,1cm x 23cm.

ISBN: 978-65-85168-58-8

1. Administração. 2. Negócios. 3. Negociação. 4. Pablo Marçal. I. Título.

2023-2153   CDD 658.4012
                             CDU 65.011.4

Elaborado por Vagner Rodolfo da Silva - CRB-8/9410

IBC – Instituto Brasileiro de Cultura LTDA
CNPJ 04.207.648/0001-94
Avenida Juruá, 762 – Alphaville Industrial
CEP. 06455-010 – Barueri/SP
www.editoraonline.com.br

„ Ame as objeções!
Isso evidencia que o
outro deseja negociar.
Quando ele não quer,
não há nem argumentos. "

DO MESMO AUTOR DE GRANDES **BEST-SELLERS**
COMO *ANTIMEDO* E *OS CÓDIGOS DO MILHÃO*

A ARTE DE NEGOCIAR

INCLUI CONTEÚDO ADICIONAL:
COMO SE LIVRAR DE UMA MENTALIDADE MEDÍOCRE
E MAIS 190 CÓDIGOS PARA DESTRAVAR SUA VIDA

PABLO MARÇAL

Camelot
EDITORA

Não tem como ficar sem ter medo de alguma coisa. Por isso, é importante enfrentá-los.

Sumário

INTRODUÇÃO 7

1. O QUE É NEGOCIAR? 9

2. PONTO DE PARTIDA: O PASSEIO NO PARQUE 17

3. AS 40 CHAVES DA PROSPERIDADE 25

4. POR QUE VOCÊ NUNCA PENSOU EM TER? 35

5. FAÇA AS PERGUNTAS CERTAS NA HORA DE COMPRAR 41

6. ESCREVA UM LIVRO 48

7. COMO CHEGAR LÁ? 57

8. VIRANDO A CHAVE 63

9. A CEREJA DO BOLO 67

10. DESBLOQUEIE-SE! 73

11. NOVA FORMA DE GOVERNAR 83

12. O FUTURO DO MERCADO 93

13. OS TRÊS PILARES DA GOVERNANÇA 97

14. VOCÊ NO COMANDO 111

15. MUDANÇA DE FREQUÊNCIA 119

Como se livrar de uma mentalidade medíocre

16. SEJA VOCÊ 120

17. IDENTIDADES 123

18. ASSUMA A RESPONSABILIDADE 133

19. DEIXE DE DEPENDER DOS OUTROS 140

20. LIBERTE-SE DA ESCRAVIDÃO 41

CONCLUSÃO 127

50 CÓDIGOS BÔNUS 171

10 códigos

para ser invencível na arte de negociar

1 Quem é a pessoa que não é boa em negociação? O orgulhoso! É preciso renunciar o ego e ter o traquejo do que está passando na cabeça do outro para saber como agir.

2 Por isso, cumprimente a pessoa, segurando na mão dela. Converse assuntos aleatórios para sentir como o outro está. Com esses dados, você conseguirá apurar a insegurança, o medo e as perspectivas dela.

3 Faça o "Passeio no Parque", uma conversa totalmente despretensiosa, mas que captura boas informações. "Qual é a melhor viagem que já fez?" – com essa pergunta aleatória, por exemplo, conseguirá identificar o perfil econômico do outro.

4 Identifique pontos em comuns com a outra pessoa para gerar proximidade. No polo ativo da negociação, conecte-se com a pessoa para ela fazer negócio com você.

5 Venda o que as pessoas querem, mas entregue o que elas precisam. Por isso, em uma boa negociação, saber ouvir é essencial.

6 Em uma negociação, não revele que você é muito bom para negociar. Você pode perder o jogo! Nunca chegue como um bobo para negociar, mas também não chegue como um tubarão!

7 A arte de negociar não aceita mentiras. Você precisa ser persuasivo, e não manipular.

8 Quem não gosta de vender, gosta de comprar coisas baratas. Já quem gosta de vender, compra coisas de alto valor, o que quiser.

9 Ame as objeções! Isso evidencia que o outro deseja negociar. Quando ele não quer, não há nem argumentos.

10 Negociação faz aumentar o seu desfrute da vida.

Introdução

Começo este livro propondo um simples, porém contundente, exercício de reflexão. Imagine que você é o presidente da sua própria vida. Nesta posição, você terá que investir em diferentes ministérios, mais em uns do que em outros, a depender de quais aspectos da sua vida estão precisando de mais investimento.

Economia? Saúde? Educação? É preciso olhar atentamente para cada área para, então, traçar metas e gerar bons resultados.

Em seguida, eu lhe pergunto: você quer estabilidade? Em um primeiro momento pode parecer que sim, afinal, quem não gosta de mar calmo? Pense melhor e você perceberá que, no fundo, o que você e quase todas as outras pessoas desejam é prosperidade, e esse movimento tem a ver com crescimento, ou seja, passa longe da imobilidade ou da inércia promovida pela estabilidade.

Observe uma flor ou uma planta. Ela sempre está em um movimento, seja o de crescimento ou o de declínio. São os ciclos da vida, é a dinâmica da transformação que está sempre presente nos seres vivos.

Pegue esse código!

10 códigos
poderosos para fortalecer a sua inteligência emocional

1 Você precisa gerir as suas emoções. Para tanto, saiba a diferença entre emoção e sentimento. O sentimento é entrada, já a emoção é a saída. O sentimento é a interpretação do mundo real. Emoção é o que eu faço com esse sentimento.

2 Alinhe os seus sentimentos com o mundo real, atinja um grau de maturidade que você apenas conseguirá enxergar o real.

3 Não seja otário de emprestar dinheiro. Ensine-o a plantar, o que ele não deve aprendido com ninguém. Enquanto houver capim no mundo, não vai faltar trabalho. Nunca faltará oportunidade na Terra para quem quer.

4 Nos lugares onde não existe ponte, faça uma jangada! Prospere a sua mentalidade!

5 Por que uma pessoa pede dinheiro emprestado? Porque ela não gosta de plantar sementes e nem de regá-las. Também não gosta de colher, mas, quando ela consegue dinheiro, ela come tudo, igual passarinho.

6 Por que as pessoas que são inteligentes emocionalmente são chamadas de frias? Porque elas não demonstram suas emoções com facilidade. Elas canalizam os sentimentos para interpretá-los e expor a emoção com sabedoria.

7 Se você se irrita com alguém, ainda não entendeu o mundo real. Porque quem faz o papel de irritante é alguém mais baixo do que você. Só que, quando essa pessoa te atinge, você passa para debaixo dela.

8 Não se importe com as palavras e nem com as ofensas, e sim entenda com a intenção por trás da pessoa que te irrita. A alma dela só está gritando e pedindo ajuda, mas, como você não sabe enxergar o mundo real, fica ofendido com a besteira que ela falou.

9 O bobo emocionalmente diz: "Você fez isso comigo? Então vou te matar!". Mas sabe quem ele mata? Ele mesmo! Pois ele vai carregar essa culpa durante a vida inteira dele. Deixe simplesmente ir, não revide.

10 Tudo coopera para o bem de quem ama Deus e são chamados para cumprir o propósito.

Capítulo 1

O QUE É NEGOCIAR?

Vamos ao que trouxe você, leitor, até aqui. Você sabe o que é negociar? Este verbo pode ser encontrado com as seguintes definições no dicionário:

- Fazer negócio;
- Comprar, vender ou trocar;
- Tentar chegar a um acordo, por meio de discussões formais;
- Celebrar ou concluir tratado, acordo ou contrato;
- Promover o andamento ou a conclusão de; agenciar; ajustar.

Todos esses significados contemplam a arte de negociar, que pode ser entendida ainda como o fato de alguém não se contentar com algo, de não sair calado e de querer fazer o melhor em uma relação em que todos saem ganhando.

"O que me preocupa não é o grito dos maus, mas o silêncio dos bons."

Frase atribuída a Martin Luther King Jr., pastor e ativista político estadunidense que entrou para a História por não se contentar com o que lhe era imposto.

Por que negociar significa a sua SOBREVIVÊNCIA?

Alguns estudos realizados no segmento empresarial mostram que 67% do turnover, ou seja, a rotatividade nas empresas acontece por causas comportamentais. A inabilidade na gestão das emoções costuma custar caro a quem entrou em um trabalho por meio do seu currículo, da sua competência.

Este é apenas um exemplo, mas que já nos leva à seguinte conclusão: ter problemas em casa, no trabalho ou em outros ambientes motivados por problemas na gestão das emoções e no comportamento significa que não sabemos negociar! Percebeu a gravidade disso?

E o primeiro passo para adentrar no território da negociação é tratar o outro como você gostaria de ser tratado. Parece clichê, não apenas parece, é um clichê. Contudo, essa é a base da arte de negociar. Isso se aplica na vida profissional, no casamento e em todas as esferas da vida.

O segundo passo é reconhecer o seu ego e se despir dele, afinal, para uma negociação bem-sucedida, a sua personalidade não deve se sobrepor, pelo contrário. Você precisa de treino de empatia para saber quando e como colocar em jogo as suas vontades e desejos, pois, se os seus interesses entram no tom ou na hora errada, você pode colocar sua negociação a perder.

O QUE É EMPATIA?

Você já deve ter ouvido falar sobre empatia, que é a habilidade de se colocar no lugar do outro. No entanto, para além de um recurso emocional, a empatia gera benefícios físicos e reações bioquímicas – como a liberação de ocitocina, hormônio que gera sensação de união e bem-estar. Esta é a famosa ocitocina liberada logo após o parto, também conhecida como hormônio do amor, tamanha a conexão que promove.

NEGOCIAR
é um gesto de valorização e respeito

Em algumas culturas mundo afora, não aceitar de imediato o que foi proposto e tomar a iniciativa de negociar é um gesto de respeito, de valorização ao objeto do negócio. Observe que curioso: muitas pessoas, sobretudo no Brasil, entendem a negociação como uma afronta ao outro.

Mas o que negociar significa na prática? Além de todas as definições listadas no início deste capítulo, a negociação contempla ainda outras interpretações que estão associadas às bagagens de vida que cada pessoa carrega consigo e influenciam em todo o seu percurso da sua história, inclusive na hora de negociar.

Contudo, de forma objetiva e assertiva, podemos dizer que o conceito de negociar é a manifestação do interesse pelo que o outro tem a oferecer.

Digamos que a negociação é uma trilha, o objeto a ser negociado é a linha de chegada e que, ao longo deste caminho, surgirão alguns desafios, que são as objeções do outro. Agora essa trilha começa a ter curvas, e não um ponto final.

O que precisa ficar bem claro aqui é que as objeções não são um NÃO. Amplie o seu olhar e perceba que a objeção, a desculpa do outro, é a manifestação recíproca para que a negociação seja concretizada, é a expressão de real interesse dele pelo objeto em questão.

Se este outro não estiver, de fato, interessado pela negociação, ele o dirá simplesmente que não quer prosseguir naquilo. Não procurará um subterfúgio. Captou esse código?

Os negócios começam em casa

Quem quer crescer no ambiente digital, por exemplo, e deseja disseminar uma mensagem e influenciar cada vez mais pessoas precisa, primeiramente, exercitar sua empatia dentro de casa, olho no olho, com a pessoa que mora com você, que trabalha com você, que está no seu dia a dia.

A sua casa é o primeiro local em que você colocará em prática, e de forma muito natural, seja com os seus pais, cônjuges ou filhos, habilidades importantes, como networking, negociação, vendas e comunicação. E se essas coisas estão faltando a você dentro de casa, é hora de parar e rever seus processos antes de expandir suas conexões.

Para não esquecer: a jornada da negociação é atravessada por uma parte técnica, que deve ser aprendida, exercitada e aprimorada, no entanto sempre existe um ser humano, com suas emoções, bagagens e expectativas. Entender isso e saber como entregar o melhor a esta pessoa é a mudança de paradigma que deve nortear tudo daqui em diante.

O Marketing tem uma frase que diz: "Venda o que as pessoas querem, mas entregue o que elas precisam". Muitas vezes, elas não têm a consciência que você, expert em determinado assunto, tem. Por isso, saber ouvir é essencial.

1º PASSO: Trate o outro como você gostaria de ser tratado.

2º PASSO: Reconheça o seu ego e elimine-o.

MAPA DA NEGOCIAÇÃO – PRIMEIROS PASSOS

3º PASSO: Treine sua empatia para colocar em jogo seus desejos e vontades.

4º PASSO: Entenda que objeções não significam um "não". Contorne-as.

A ARTE DE NEGOCIAR | 13

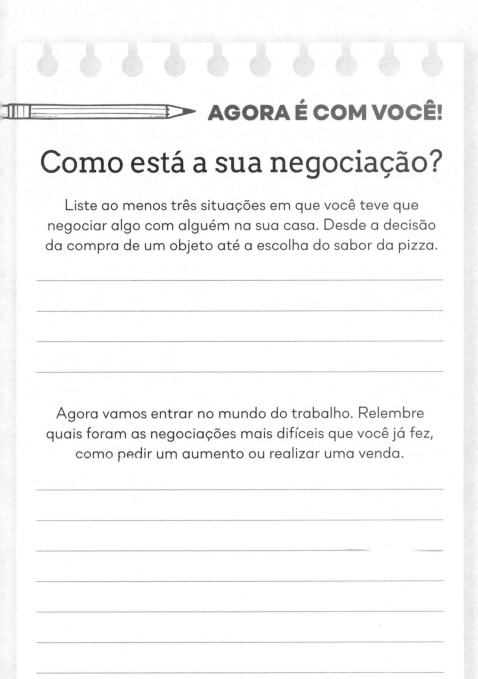

AGORA É COM VOCÊ!

Como está a sua negociação?

Liste ao menos três situações em que você teve que negociar algo com alguém na sua casa. Desde a decisão da compra de um objeto até a escolha do sabor da pizza.

_____
_____
_____
_____

Agora vamos entrar no mundo do trabalho. Relembre quais foram as negociações mais difíceis que você já fez, como pedir um aumento ou realizar uma venda.

_____
_____
_____
_____
_____
_____
_____

Por fim, reflita: onde poderia ter aprimorado as suas negociações para atingir o resultado de que gostaria? Você ouviu as necessidades do outro?

_____
_____
_____
_____
_____
_____
_____
_____
_____
_____
_____
_____
_____
_____
_____
_____

Não peça um tempo para negociar

É curioso pensar o porquê de não aprendermos ainda na escola habilidades como negociar, vender, administrar, comunicar, empreender e investir. Ou ainda por que não aprendemos a prosperar, a ter sabedoria.

Vamos adentrar um pouco mais no foco central deste livro, que é a arte da negociação. Negociar significa renunciar ao ócio, ou seja, ser proativo, agir.

A título de informação complementar, os maiores investidores do mundo não lhe dão nem dois minutos para você fazer uma apresentação, que nos remete à velha máxima "Tempo é dinheiro". Um pitch bem-feito pode ser feito dentro do elevador, no período de 30 segundos.

Se por acaso passou pela sua cabeça a ideia de abordar alguém e pedir 30 minutos para apresentar algo, esqueça. O problema aqui não é a quantidade de tempo, pois pedir 10 ou 20 minutos surtiria o mesmo efeito. Para conquistar o coração e a mente de alguém é preciso ir além, saber elaborar, argumentar, atacar a dor, ou seja, é preciso não ter medo e saber negociar. E como fazer isso? Você encontrará no próximo capítulo.

10 códigos
para ser uma pessoa mais forte e conquistar o que deseja

1. Tenha presença de comando: esta está na energia que sai dentro de você e até na forma firme que pisa. Está também na frequência que você emite e até no seu tom de voz.

2. Tenha postura de general, e não de soldado. Soldado não tem presença de comando.

3. Disciplina é um meio para chegar onde deseja. Quando tiver dificuldade em seguir, pense sempre na recompensa que terá.

4. Não fique preocupado com quem está atrás, mantenha sempre o foco do que está na frente.

5. Desde o Éden, existe crise o tempo inteiro. E não acabará! Por isso, administre, crie e cancele crises em sua vida que não fazem mais sentido.

6. Ame resolver problemas, mas solucione os seus e não os dos outros.

7. A cobrança faz você "tirar o pé" e ficar morrendo de medo. Enfrente! Não deixe o medo lhe paralisar.

8. Você só fica nervoso na frente de alguém, se a pressão que você exerceu sobre si mesmo não foi o suficiente. Coloque pressão em você primeiramente: tome decisões de renúncia e entregue sempre mais do que o esperado.

9. A pressão não pode vir de fora, e sim de dentro! A pressão só vem de fora, quando o lado de dentro está fraco.

10. Procrastinação é trocar uma coisa de longo prazo ou eterna por uma recompensa imediata. E não precisa de pressão para ter recompensa imediata, e sim apenas ser um idiota.

Capítulo 2

"Negociar significa renunciar ao ócio, ou seja, ser proativo, agir."

PONTO DE PARTIDA: O PASSEIO NO PARQUE

Um ponto que preciso alertar aqui é em relação ao que você transparece. Se você mostra logo de cara que é o mestre da negociação, lamento dizer que você terá problemas.

Lembra que a negociação é um caminho? Pois bem, digamos que este caminho seja um passeio no parque. A partir daí, pense na sua postura. Não é indicado chegar como um total ingênuo e nem como um tubarão, que domina tudo por onde passa.

Pegue na mão do outro, metaforicamente falando, e ligue um relógio mental enquanto você conversa com ele. Feito isso, conte cinco minutos (dentro da sua cabeça), quebre o gelo com uma interação que aparentemente não tem a ver com o tema da negociação.

Pode parecer algo aleatório, sem relevância, mas quando esse papo é bem-feito e pensado, serve para que você comece a ajustar o clima e então iniciar a negociação a partir do que conseguiu extrair da pessoa.

Conversas rápidas e aleatórias podem fazer o outro manifestar suas percepções sobre política, economia, família, filhos e futuro; e nessas primeiras trocas de palavras, você pode perceber se essa pessoa está insegura ou motivada, por exemplo.

Os cinco minutos estão correndo e você precisa saber usá-los a seu favor. Uma sugestão é perguntar a este interlocutor qual foi a melhor viagem que ele já fez na vida. Pode parecer uma questão desconectada com o tema do encontro e mais próxima de uma amenidade qualquer, mas uma pergunta como essa gera pelo menos dois benefícios a você.

O primeiro é que essa pessoa recuperará boas lembranças enquanto está ali com você e, portanto, poderá entrar em uma vibe mais positiva. E o segundo e mais importante proveito – que aliás é o seu objetivo com essa pergunta – é saber qual é o nível socioeconômico da pessoa.

Se ela disser que a melhor viagem da vida dela foi para uma bela praia no litoral paulista ou para um castelo na Europa, você terá a chance de ponderar a sua negociação a partir do nível socioeconômico e da perspectiva que esta pessoa está lhe apresentando até sem perceber.

Fazer perguntas em uma conversa informal a quem está prestes a negociar com você pode lhe render dados e informações que podem ser decisivos nas horas de fechar o negócio.

Contudo, seja sutil, afinal, não se trata de um interrogatório policial. Vá com calma! Porém lembre-se de que este contato deve partir do polo ativo, ou seja, de quem deseja fazer com que o outro faça negócio. Se você tiver que convencer alguém, é com a arte da persuasão que trabalhará e conduzirá o diálogo.

AGORA É COM VOCÊ!

Perguntas de uma boa negociação

Pense em cinco perguntas que poderiam ser feitas para um cliente com o objetivo de extrair informações a respeito do nível econômico, da expectativa e da energia dele, mas que não seja algo explícito, que não pareça com uma ficha policial.

1. _____

2. _____

3. _____

4. _____

5. _____

Persuasão X Manipulação

Quero deixar registrado aqui algo de primeira importância: persuasão não é manipulação. Não concordo com manipulação e, portanto, isso é algo que você não encontrará neste livro. Para alguém persuadir, é preciso trabalhar com a verdade, já, para manipular, lida-se com mentiras.

Eu, Pablo, não faço uma venda sequer precisando mentir. A propósito, se você chegou até esta obra com o intuito de aprender a usar mentiras a seu favor, sinto lhe decepcionar, mas negociar não é mentir. Negociar é ser contundente.

Uma outra coisa é ter a malícia da venda, saber as técnicas, fazer as perguntas certas e conectar dados. É isso que você encontrará aqui. Um bom vendedor não precisa apelar para inverdades para alcançar suas metas e obter seu sucesso.

Vamos combinar uma coisa? Você, que está lendo este livro e que deseja aprender algo comigo, não use mentiras para fazer seus negócios. Esse é um pacto nosso.

Negociação exige clareza!

Onde estou errando?

Muitas pessoas me perguntam e se questionam quais são os erros que estão cometendo na hora de negociar. E logo de cara eu já lhes respondo que o primeiro equívoco é chegar negociando logo de cara.

É claro que o seu objetivo é fechar um contrato ou concluir uma venda. Contudo, partindo do pressuposto que a outra parte já tem uma inclinação a não aceitar, você pode forçar algo que certamente não sairá como esperado.

Lembra dos cinco minutos do passeio no parque? Não existe atalho neste caminho.

Não comece a negociar logo de imediato. Assim como um piloto de avião precisa se comunicar com a torre para saber se pode pousar, decolar, se precisa mudar a rota, se tem a prioridade na pista ou se tem que arremeter, e não pode tomar atitudes sem as devidas informações e negociações, você – que está fechando um negócio – também precisa coletar dados e saber a hora certa de agir.

Não tente fazer um pouso forçado, pois as consequências podem ser extremamente negativas.

Finalizo este tópico com uma espécie de mantra que aprendi e que sempre compartilho com os meus alunos, mentorados e leitores: a negociação certa vai fazer eu aumentar o meu desfrute.

Quem gosta de comprar também gosta de vender?

Será que todo mundo que trabalha com negociação gosta de vender? Garanto a você que não. Aliás, se você está se incluindo nesse grupo, saiba que não está sozinho. Porém, quando você está do outro lado do balcão, você gosta de comprar? Há quem não goste?

Vamos aos fatos – muitas vezes incômodos: quem não gosta de vender normalmente prioriza a compra de itens mais baratos, pois vive na escassez. Já quem gosta de vender consegue comprar o que quiser com poucas restrições em relação ao preço. Percebeu aonde eu quero chegar?

Quem gosta apenas de comprar e não se dedica tanto em vender tende a viver na escassez. Agora, se a sua intenção é prosperar e fazer suas compras sem tantas reservas no que se refere ao preço, você precisa mudar a sua mentalidade e ser uma máquina de vendas!

PREPARE-SE ANTES
Saiba coletar bons dados antes da negociação. Pesquise sobre a outra pessoa.

SEJA GENTIL
Não comece a negociação logo de imediato.

NÃO PULE ESSAS ETAPAS DA NEGOCIAÇÃO

RESPEITE O PROCESSO
Não faça nenhum "pouso forçado", sinta o momento certo de agir.

INTERAJA
Nos primeiros cinco minutos, converse sobre outros assuntos e sinta como a pessoa está. Insegura ou motivada, por exemplo?

AGORA É COM VOCÊ!

Imagine um objeto de desejo de alto valor, que você deseja ter, como um avião, uma mansão ou uma joia. Agora, crie as perguntas e faça uma simulação de como você venderia este bem. Este exercício o ajudará a ampliar os seus horizontes para a venda e, consequentemente, a melhorar o seu papel de vendedor, mas também encurtará a distância entre você no papel de cliente e objeto de desejo. Pegou o código?

Você ficará mais próximo não apenas de vender, mas também de comprar! Assim, escreva as perguntas, palavras-chave, tópicos ou texto corrido da sua estratégia de vendas.

Máquina de vendas

Você finalizou o capítulo anterior e certamente está interessado em saber o que é a máquina de vendas, afinal, seria um sonho apertar um botão e ligar um equipamento mágico que faz milagres.

Contudo, volte para a Terra! Não existe mágica, máquina do tempo ou lâmpada dos desejos. O que seria, então, uma máquina de vendas? Uma empresa, um royalty, um escritório de advocacia, uma clínica odontológica, tudo isso e muito mais é uma máquina de vender.

Se você ainda não tem uma para chamar de sua, pare e pense, no que valeria a pena você investir o seu dinheiro para ser a sua máquina de vendas?

Um produto, um serviço ou um livro, como este que você tem em mãos (ou na tela), é uma máquina de vendas. Um curso on-line em que você ensina algo pode ser esta máquina.

Pegou o código? Você pode ser a sua máquina de vendas! Encontre o seu nicho, seu segmento, sua vocação e vá em frente. Coloque sua máquina para funcionar.

> Há muitas pessoas que acreditam que o mercado digital está saturado, estressado, que não tem mais espaço para investir em um negócio e lucrar com a internet. E se você também tem esta impressão, saiba que, felizmente, está enganado. Vamos a um dado otimista sobre este assunto: mais de 150 milhões de pessoas no Brasil nunca fizeram uma compra on-line. É um nicho gigantesco que os negócios digitais ainda têm pela frente.

Capítulo 3

AS 40 CHAVES DA PROSPERIDADE

Se você não é bom em vender, presumo que não seja bom em negociar. Afinal, a negociação, baseada em uma boa apresentação e nas técnicas certas, é o caminho que o levará até as vendas.

E para ajudá-lo a entender este percurso, criei um "roteiro" que denominei como as 40 chaves da prosperidade. Se você já foi meu mentorado ou já assistiu a alguma live ou palestra, sabe do que estou falando.

São palavras-chave que geram gatilhos e que consequentemente o conduzem para um caminho de prosperidade.

1. Contemplação

Aqui você entenderá os códigos por trás de tudo.
A natureza, por exemplo, está cheia de códigos que
Deus entregou para nós. Tudo já está pronto nela,
basta analisarmos para alcançarmos voos maiores.

2. Movimento

Uma pessoa que está parada no meio de uma guerra
(entenda essa guerra como vida financeira, profissional
ou familiar) tem chances de ser abatida.

3. Autoconfiança

Para evitar que seu cérebro sabote seus planos
e ações, não se descuide da autoconfiança. Assim,
suas chances de caminhar para frente serão maiores.

4. Energia

Assim como é importante gerar, é fundamental saber direcionar sua energia para algo produtivo. Aqui eu trabalho com a técnica CCC: capturar, converter e canalizar.

5. Perguntas

Faça sondagens. Perguntar é sempre uma boa maneira de extrair informações a respeito de algo.

6. Paciência

Esta chave o ajudará a evitar problemas na sua vida. Virar a chave da paciência e não brigar por qualquer coisa aumentará seus ganhos de forma geral, inclusive em qualidade de vida.

7. Produção

Aqui você analisará quais são as atividades que não oferecem ROI, ou seja, retorno sobre o investimento. Se algo que você está produzindo não está fazendo sentido, desapegue.

8. Pujança

Estou falando de garra, de força de vontade, de ter sangue no olho mesmo. Estou falando de eliminar o cansaço, a preguiça e as desculpas que você dá a si mesmo.

9. Repetição

Você ativará uma chave na sua cabeça que afirmará que nada dará errado na sua vida, a não ser que você desista dela.

10. Visão Progressiva

Esta chave trata da percepção e do entendimento dos caminhos que o levarão ao seu objetivo.

11. Adaptabilidade

Quem são os seres mais fortes do reino animal? Esta chave mostra. Se você é uma pessoa adaptável, certamente não perde tempo e energia em coisas que não dão certo. Você se adapta e segue em diante.

12. Criatividade/Disrupção

Pensar diferente da maioria, é disso que se trata a criatividade. Já a disrupção é interromper um fluxo, inovar.

13. Execução

Apresento um exemplo básico. Quando chega uma hora que, de tanto transbordar, você bate no teto, é hora de colocar alguém para trabalhar para você. Aqui, o que quero dizer é: faça o que tem que ser feito!

14. Intencionalidade

Esta chave serve para o ajudar a não dar margem para o que outras pessoas pensam sobre você. Seja direto, fale a verdade e se desbloqueie.

15. IVP (Índice de Viração Própria)

A chave em questão trata-se do seu poder de melhoria da sua taxa de solução. Aumente o seu repertório, aprenda mais coisas para conseguir transbordar na vida do próximo.

16. Abundância

Aqui existem três fases: a escassez, em que todos perdem; a abundância, que consegue suprir de forma satisfatória todos aqueles que estão ao seu redor; e o transbordo, que explicarei na chave 39.

17. MVP (Mínimo Viável do Produto)

Esta chave trata-se de algo mais técnico. É você investir pouco em determinado projeto para então experimentar se vai dar certo e só depois validar e fazer maiores investimentos.

18. Aderência

Se você se propôs a fazer algo, faça. Seja capaz de dar continuidade aos seus planos, independentemente da situação. Chegue o mais perto possível de 100%.

19. Autoconhecimento

Trata-se de identificar qual é o seu real propósito. O autoconhecimento consiste em dominar todas as funções da sua vida. Olhar de dentro para fora.

20. Autoralidade

Estou falando aqui sobre originalidade. Não me refiro a inventar algo do zero, mas se utilizar do que já existe para criar um novo método, dar uma roupagem de inovação e um diferencial a algo.

21. Digitalização

Olhe para o digital, pois este é o futuro. O público já está no ambiente digital, logo, você não pode ficar de fora. Estar ausente deste local significa que, em pouco tempo, você estará fora do mercado.

22. Humanologia

Esta chave está associada ao estudo sobre o comportamento humano, indispensável em qualquer negócio.

23. Investimento

Esta chave vai ensiná-lo a ser um investidor financeiro, humano e em todos os aspectos da vida.

24. Autoridade

Para construir autoridade, é preciso de tempo e de transbordar sobre a vida das outras pessoas.

25. Branding

Aqui é a construção diária da sua marca.
Você deve criar mecanismos para que as pessoas se lembrem de seu negócio de forma fácil, espontânea.

26. Comunicação

Não se trata de usar palavras difíceis, mas sim de entender o que está se passando na cabeça do seu interlocutor e dar uma resposta adequada a ele.

27. Decisão

Esta chave é fundamental para quem quer crescer na vida. Tomar uma decisão gera um frio na barriga. Se não gerar, é apenas uma escolha, que não acrescenta em nada na sua vida, e não uma decisão.

28. Desbloqueio/Ressignificação

Se algo não irá edificá-lo ou não ajudará alguém, nem perca o seu tempo. Ressignificar significa mudar o sentido de algo que lhe aconteceu. Tirar algo bom de uma situação que em princípio não foi tão positiva.

29. Fonte

Deus é a fonte de tudo. Quando você vira esta chave na sua cabeça nada irá parar você.

30. Geração de valor

Transborde na vida do próximo. Não fique com medo de entregar tudo o que você tem. Ao ajudar o outro, todos crescem.

31. Gestão

Governe sobre você e depois sobre recursos, propósitos, dinheiro e todas as áreas da sua vida.

32. Hábito

Para uma atividade simples, você consegue torná-la um hábito em sete dias; para algo mediano, em 21 dias; para um projeto mais complexo, 40 dias.

33. Liberdade

Não se trata de sair por aí gastando dinheiro de modo inconsequente, mas sim de compreender que você não precisa fazer algo que não quer. Liberdade é ter a opção de escolha.

34. Mentalização

Torne-a um hábito, faça todos os dias a mentalização do que você quer para a sua vida.

35. Modelagem

Escolha uma pessoa que você considera uma referência, um modelo, e analise o que ela fez para ter o que você quer ter, como ela atingiu determinados objetivos. Filtre o que é importante para você! E o que não for, jogue fora.

36. Networking

Junte-se a pessoas que tenham o mesmo propósito que você. O relacionamento vale mais do que dinheiro.

37. Sabedoria

Esta chave é dividida em duas subchaves: a horizontal, que é a sabedoria humana, de conexões que fazemos na Terra; e a vertical, que vem de Deus.

38. Testar

Esta chave significa testar coisas novas todos os dias, diferentemente de tentar. Aliás, sempre se lembre disso: tentar não existe. Ou você testa ou não faz.

39. Transbordo

Quanto mais você transborda e atinge outras pessoas, mais riqueza você tem. Espalhe o seu conhecimento.

40. Vender/Comprar

Esta é uma das principais chaves. Todo mundo que deseja prosperar tem que vender e comprar. Você tem que ganhar tanto na venda quanto na compra.

Eu amo um problema

Quando a gente começa a percorrer a trilha da venda, existe uma etapa na qual muitos vendedores são afetados e sofrem com um bloqueio e, a partir daí, a conclusão da venda se torna comprometida.

Esse momento chama-se objeção. Já falamos dela no início do livro, mas vamos aprofundar um pouco mais. Sabe quando você está negociando com alguém e essa pessoa lhe apresenta algum tipo de dificuldade quanto à conclusão do negócio? Pois bem, é a bendita da objeção, o que não significa que a pessoa não queira fazer negócio com você.

Esse obstáculo, digamos, pode vir na primeira fala, quando você pergunta se está tudo bem e ela diz a você um sonoro "não". A depender da sua habilidade, ou melhor, da falta dela na arte de negociar, esta objeção paralisa a negociação.

Por incrível que pareça, quem tem uma objeção quer comprar. Guarde isso!

E nessa hora, você entra para curar essa objeção e resolver o problema. Como se faz isso? Contornando essa pedra que a pessoa colocou no meio do caminho.

Quem não quer algo, não quer fazer negócio não se preocupa em apresentar uma objeção. Se seu potencial cliente faz isso, bingo! A venda é sua.

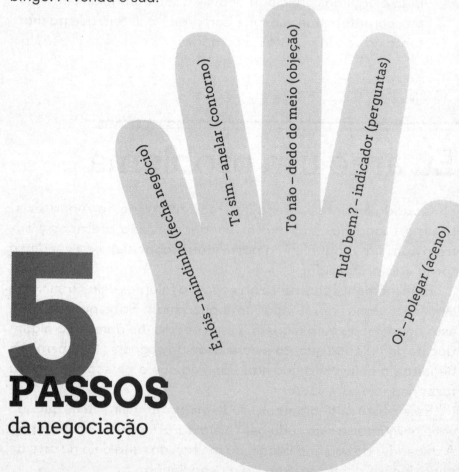

5 PASSOS da negociação

- É nóis – mindinho (fecha negócio)
- Tá sim – anelar (contorno)
- Tô não – dedo do meio (objeção)
- Tudo bem? – indicador (perguntas)
- Oi – polegar (aceno)

Contornando as objeções

Sou grato a cada experiência que tive em minha trajetória profissional, sobretudo a uma atividade em especial: a de atendente de telemarketing, que me ajudou a entender e seguir todas as etapas do fluxograma e que me tornou um expert no contorno de objeções.

No dia a dia do call center, muitos clientes cancelam produtos e serviços não porque querem se desfazer daquele bem ou porque este não lhe serve mais, mas porque estão com raiva da empresa e agem na emoção. E saber contornar objeções emocionais é crucial para o vendedor em todo e qualquer negócio.

Em um momento de dor do cliente, coloque-se ao lado dele e não contra. Reconheça e valide o que ele sente, assim você criará uma relação de cumplicidade com ele e terá um caminho de negociação mais confortável.

Lembra-se daquela informação da alta rotatividade nas empresas devido à deficiência na gestão das emoções? Perceba como este soft skill é crucial nos negócios.

Voltando às objeções. Já se sabe que elas não matam um negócio. Você pode estar se perguntando: "E quando envolve dinheiro?". Se alguém diz a você que não tem condições financeiras para comprar o que você está vendendo, pode se animar, pois ela tem interesse, e a decisão fala mais alto.

O dinheiro não pode e não manda em tudo. E se você aprendeu isso lá atrás, com seus pais ou na sua formação escolar, pode passar uma borracha. O mundo mudou. No jogo econômico e de mercado de hoje, você gera um crédito, que proporciona uma alavancagem, atrai energia no futuro, prospera e paga.

O que conta é a decisão, e não os meios que a pessoa vai usar para lidar com a situação financeira se esta for um empecilho. Pegar um crédito para alavancar o seu negócio é o que pode lhe trazer prosperidade.

Foi-se o tempo em que ter o dinheiro todo, à vista, em mãos, era a bola da vez. A regra econômica agora é outra.

Portanto, se alguém lhe deu uma desculpa, devolva uma solução, um remédio para a dor dela.

Fluxograma da negociação

Eu sei que você já começou a entender que negociar é um caminho que não é tão curto, geralmente não é uma linha reta, e que ir direto ao ponto não significa pegar um atalho, mas sim entrar em uma cilada. Para visualizar melhor o que estou falando, observe este fluxograma ao lado.

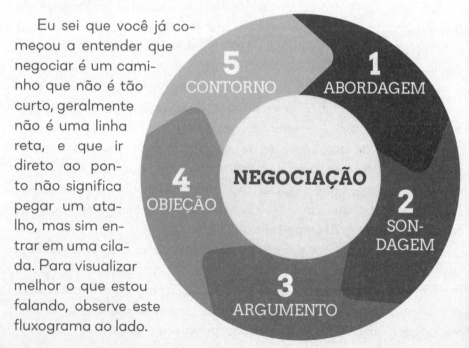

Capítulo 4

POR QUE VOCÊ NUNCA PENSOU EM TER?

Você já imaginou ter um Rolex? Pode ser que não. Compreensível, esse é o tipo de coisa que parece muito distante da realidade da maior parte das pessoas. No entanto, você já parou para pensar no porquê você nunca sonhou com um artigo como este? Se a resposta for dinheiro, pense melhor.

Você, assim como muitas pessoas, talvez nunca sonharam em ter um Rolex. Você, assim como muita gente, até já teve o valor do item, mas o direcionou para outras coisas, como na vez em que você fez a aquisição de algo parcelado a médio prazo. Compreensível também.

Contudo, a partir do momento que você conhece, por exemplo, alguém que tenha um modelo dos relógios mais caros do mundo, você desenvolverá um sentimento que é o de desejar, mesmo de forma inconsciente.

Muitas dessas coisas "inalcançáveis" só estão longe agora, porque você não está dentro dos ambientes certos, não está próximo das pessoas certas, você não acredita em si mesmo e consolida tudo isso em um grande NÃO QUERO!

E com esse tipo de pensamento, oportunidades são perdidas. Sabe por quê? Pense em quantas pessoas têm um Rolex ou uma Ferrari no Brasil. São poucas centenas. Agora, imagine um grupo de WhatsApp, por exemplo, dos ferraristas do Brasil e o tipo de negócio que você poderia fechar com quem está lá. O carro vai de mero objeto de desejo a um ponto em comum entre você e as pessoas com as quais poderia fechar um negócio.

Está percebendo aonde quero chegar?

Cada vez que alguém fala que não quer um determinado produto ou serviço, não se contente, vá além, destrave o bloqueio e pergunte o motivo.

Vamos mais fundo? Ainda no exemplo do Rolex, quando a vendedora da loja fala para você que não se trata de um relógio, mas de uma joia que será um bem, que integrará o patrimônio da sua família e que por isso custa R$100 mil, é um argumento que pode convencê-lo.

Afinal, não se trata de um mero relógio, pois você pode perfeitamente encontrar no mercado vários modelos de outras marcas por menos de R$1 mil.

Por que alguém compra algum objeto de luxo, sendo que outro de função semelhante custa 10 vezes menos? O que vai persuadir é o bem e o patrimônio da família, o seu storytelling (narrativa que conduz a negociação), e as comunidades que se formam no entorno desse bem. Parafraseando aquele famoso slogan de cartão de crédito: "Não tem preço."

Itens de luxo e o dia em que eu comprei um piano

Se você nunca assistiu a algum vídeo ou palestra minha e está tendo o primeiro contato com o meu trabalho através deste livro, esta história será nova para você. Vou lhe contar do dia que comprei um piano de cauda de mais de 50 anos.

Cheguei à casa de uma senhora que era minha aluna, de cerca de 70 anos, e ela me ofereceu o instrumento por R$ 29 mil. Respondi se poderia fazer uma contraproposta, mas ela disse que não.

Eu perguntei o motivo da venda, a proprietária, então, contou suas razões pessoais pelas quais queria se desfazer daquele bem que havia sido de seu pai e, no resumo da resposta, ela não queria mais ter aquele piano, pois o item a deixava mais triste do que feliz naquele momento.

Percebam como a sondagem me forneceu elementos para contra-argumentar. Eu disse que se ela não queria mais a posse daquele objeto, ele não valia o que ela estava pedindo.

> ## DICA PARA COMPRAR E VENDER
> Quando estiver comprando, faça mil perguntas, tente extrair toda e qualquer informação, por mais irrelevante que possa parecer. Na assinatura do contrato, um detalhe que você descobriu pode fazer a diferença para a negociação. Se estiver vendendo, cuidado ao falar demais. Tudo o que você fala na hora de vender ou de comprar algo poderá ser usado "contra" você. Este é um dos pilares da arte de negociar.

Voltemos à história do piano. Depois de uma série de questionamentos e argumentações na negociação do objeto, entramos em acordo e adquiri o item pelo valor de R$ 23 mil.

Pois bem, contratei o serviço de frete e eis que o motorista do caminhão, que detinha algum conhecimento sobre pianos, enquanto realizava o transporte do objeto, me alertou que o bendito valeria em torno de R$ 100 mil!

Você então deve estar se questionando por que motivo a proprietária, que tinha até um vínculo familiar com aquele piano, o desvalorizou daquela maneira? Para o azar dela e sorte minha, ela deixou que sentimentos ruins e pesarosos em relação ao instrumento se sobressaíssem e contaminassem o real valor do item, saindo em desvantagem na negociação.

E aqui está outro alerta: jamais deixe que a sua energia negativa em relação a um produto – que HOJE você não gosta mais – afete a sua negociação.

Tem uma frase, uma espécie de mantra, que costumo ensinar aos meus alunos, ouvintes e mentorados: Toda família desfeita é uma transferência de riqueza.

O que quero dizer com isso? Uma pessoa que está se divorciando, por exemplo, tende a levar uma energia de ressentimentos a algo que quer vender, e aí, se você é bom de sondagem, é quase certo de que você fará um bom negócio. Afinal, tudo o que esta pessoa quer é se desfazer do que ela está vendendo.

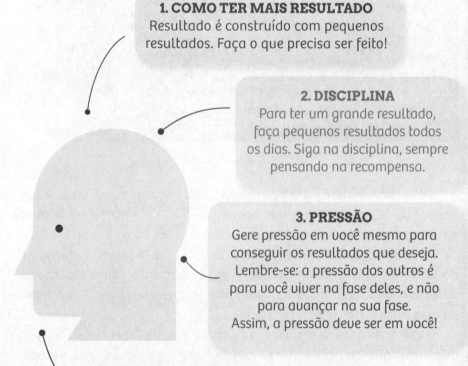

1. COMO TER MAIS RESULTADO
Resultado é construído com pequenos resultados. Faça o que precisa ser feito!

2. DISCIPLINA
Para ter um grande resultado, faça pequenos resultados todos os dias. Siga na disciplina, sempre pensando na recompensa.

3. PRESSÃO
Gere pressão em você mesmo para conseguir os resultados que deseja. Lembre-se: a pressão dos outros é para você viver na fase deles, e não para avançar na sua fase. Assim, a pressão deve ser em você!

4. CONFIE NO SEU POTENCIAL
A crise é quando a pressão da confiança cai. A pior crise de todas é quando você para de confiar em você.

AGORA É COM VOCÊ!

Vamos recapitular

Liste três conhecimentos que aprendeu desta abordagem sobre a arte de negociar:

1. _____
_____
_____

2. _____
_____
_____

3. _____
_____
_____

10 códigos

para se comunicar bem e encantar as pessoas

1 Para negociar, a comunicação deve se fazer presente. Por isso, não seja "mono tom", ou seja, faça variações de tons, assim como a música. Com isso, você desperta a atenção do outro.

2 O seu cliente nunca pode ter dó de você. Ele precisa enxergar valor em você. Lembre-se: o preço nunca vem antes do valor.

3 Quem trabalha no método tradicional coloca teto, ou seja, a pessoa trabalha para fazer o preço para o mercado comprar. Já quem é "geração de valor" usa o mercado apenas para pisar. Ele tem valor e sempre terá pessoas para comprar.

4 Aplique a senoide na negociação, ou seja, tenha ritmo para avançar e saber ouvir. "Sou fera, sou bobo" – é assim que deve se comportar. Se você for com tudo na negociação, colocando pressão ao extremo, pode se dar mal.

5 Cerca de 50% da comunicação de uma boa negociação refere-se à linguagem não verbal. Aprenda a se comunicar no "mute": seus gestos, a firmeza no andar, a cabeça nunca para baixo, o olhar no outro etc.

6 Quer encantar as pessoas em suas negociações? Então, reflita se sua vida é encantadora. Quantas vezes você fala por dia: "Eu amo a minha vida"?

7 Quem comunica de verdade evita a escassez e consegue prosperar mais rápido.

8 Quando você encanta pessoas, você transfere energia de vida! Contudo, não sairá nada de dentro de você, e sim só multiplicará.

9 Na arte de perguntar em uma negociação, você não pode revelar a sua insegurança e imaturidade. A maturidade é revelada na própria pergunta que você faz.

10 Quer mudar a sua mente para ter melhores resultados? Mude seus hábitos de lugares para conhecer novas pessoas. Essas possibilitarão ideias novas e, consequentemente, ações novas. E, logo, novos resultados!

Capítulo 5

Jamais deixe que a sua energia negativa em relação a um produto – que hoje você não gosta mais – afete a sua negociação.

FAÇA AS PERGUNTAS CERTAS NA HORA DE COMPRAR

Se você chegou até aqui, já entendeu que todo bom negócio é precedido por uma boa sondagem. Fazer as perguntas certas significa ganhar terreno para então elaborar uma estratégia de venda assertiva.

Agora, o que deve ser perguntado a uma pessoa, quando é do seu interesse fazer negócio com ela e comprar algo que ela está vendendo? Nos primeiros questionamentos, naquele papo inicial de cinco minutos, as perguntas são mais instintivas, variam de acordo com o cenário e com o desenrolar da conversa. Portanto, família, filhos e viagens, por exemplo, são assuntos que você costuma fazer a partir do contexto que se apresentar.

Agora, já partindo para questionamentos mais diretos e que ajudarão a construir a sua argumentação na hora de negociar o valor de compra, oriento que você faça sempre pelo menos essas quatro perguntas a seguir:

- Há quanto tempo você tem esse item que deseja vender?
- Como este objeto chegou até você?
- Por que você quer vendê-lo?
- O que você comprará depois de vender isso?

A partir das respostas destas perguntas, você já terá uma base para conduzir a sua negociação de modo favorável.

Hora de argumentar

Quem faz bons negócios não se limita a perguntar e ouvir a resposta. Além disso, quem faz bons negócios ouve a resposta e constrói um bom argumento, que servirá para contornar as objeções.

Neste capítulo, vou ajudá-lo a progredir e a desenvolver novas habilidades na arte de negociar que é a argumentação para contornar objeções positivas ou negativas. Aqui, você conhecerá a diferença entre vender e negociar!

Objeção negativa

"Está caro" ou "estou sem dinheiro" são objeções bastante comuns no processo de negociação. Nesta hora, primeiramente é importante você entender que a tratativa não acabou por aí. Esta é só uma etapa na estrada rumo ao entendimento de um negócio.

Diante de objeções como estas, não bata de frente. Contorne. Afinal, se alguém fala que algo é caro ou feio e você rebate dizendo o oposto, além de se distanciar do que esta pessoa está sentindo, também pode dar a entender que você está a chamando de mentirosa. Portanto, cuidado!

O que fazer nessa hora? É mais simples do que parece. Faça essa pessoa pensar no que ela disse. Questione por que ela considera o produto feio, por exemplo.

Prolongue a conversa e assim obtenha ainda mais informações e argumentações para dar um bom encaminhamento ao seu processo de negociação.

AGORA É COM VOCÊ!

TREINE na frente do espelho ou da câmera do celular – o seu poder de contorno de objeções. Este exercício o ajudará a desbloquear as travas que você tem na argumentação. Antes de iniciar o treino, defina abaixo o que deseja vender e quais argumentos utilizará se as objeções "Está caro" ou "Estou sem dinheiro" surgirem na negociação.

O impossível não existe para quem acredita

Antes de saber quais são as perguntas certas que devem ser feitas no momento de uma negociação, reforçarei aqui para você que avaliar o contexto é igualmente importante.

Entenda quem é a pessoa com a qual você está negociando, descubra quais são as dores que ela quer resolver, avalie qual é o melhor remédio que você pode oferecer e siga com o seu propósito.

Deixo aqui um lema: nunca pense que não é possível! E mais, não se deixe influenciar por pessoas (entenda-se amigos, colegas de trabalho e até familiares) que sempre desacreditam das coisas e que o puxam para o lado pessimista.

Digo isso para relembrá-lo que dinheiro não define uma negociação, mas sim a tomada de decisão, e é aí que você entra. Afinal, você não irá vender algo de graça ou interferir diretamente na situação financeira do seu cliente, o seu papel é o de influenciar a tomada de decisão dele.

A arte de negociar consiste em transformar o não em possibilidade e assim subir um degrau por vez.

Não existem gênios

Ouvir de uma outra pessoa que você é um gênio. Afinal, você é muito bom em negociar e vem prosperando de maneira admirável, pode parecer algo a se vangloriar, certo? Quem não quer estar associado à genialidade?

Vou lhe contar um segredo: isso não existe. Ninguém é gênio por fazer algo com muita destreza. Uma pessoa que prospera em uma determinada carreira ou área de atuação está se esforçando para tal.

Uso aqui o meu exemplo: eu acordo muito cedo e durmo super tarde. Leio vários livros e, ao longo da minha vida, tenho feito muitos negócios, o que me levou ao aperfeiçoamento, mas não sou um gênio. Se tenho prosperado e conquistado bons resultados, é porque me esforço diariamente por isso.

Por favor, não me considere um gênio no que faço e nem pense que existem gênios em qualquer campo de atuação. Isso chega a me ofender. O que existe é preparo e esforço constante associado à busca pelas chaves certas.

AGORA É COM VOCÊ!

Liste abaixo quais esforços você tem feito
diariamente, semanalmente e mensalmente
para chegar aos seus objetivos:

Se você não tem desejo por algo, é porque não sabe vendê-lo

Volto aqui em um assunto que é crucial para quem está se aprimorando na arte de negociar e quero reforçar com você, meu leitor. Se você não tem desejo por algo, seja um bom carro, uma joia ou um Iphone, significa que você não sabe vender este item e certamente você não conseguirá comprá-lo e viverá na escassez.

Se todo mundo, em diferentes níveis de necessidade e de desejo, gosta de comprar, é preciso, além de gostar, saber vender. Se você gosta de coisas boas, de itens de luxo, saiba como vender tais produtos.

Vamos desmistificar algo aqui: vender é fácil, o mais difícil é encontrar desculpas para não fazer isso.

Passo a passo para treinar perguntas

1. Tenha elegância para perguntar e não seja bruto.

2. Fazer pergunta é a arte de fazer e transferir pressão.

3. Nos cinco primeiros minutos da negociação, faça perguntas aleatórias para descobrir os drives mentais da outra pessoa.

4. Faça sempre perguntas para você, para Deus e para o próximo.

5. Não seja prolixo, ou seja, que fala muito e enrola. Seja objetivo e faça as perguntas corretas.

AGORA É COM VOCÊ!

Quer testar como está a sua habilidade na arte de negociação? Faça o seguinte: vá a um mercado, compre algo de consumo alimentício fácil, como uma caixa de paçocas ou de chocolate ou mesmo um engradado de garrafas d'água. Vá até um local que ninguém o conhece, uma rua mais distante do bairro em que você mora e coloque seu treino para jogo. Venda o produto e perceba como está a sua negociação, treine, aprimore, mude a abordagem, teste, enfim, faça deste momento a sua sala de aula da matéria de negociação. Feito isso abaixo, liste três pontos altos que conseguiu fazer e três pontos que você precisa aperfeiçoar.

PONTOS ALTOS:

1. _____
2. _____
3. _____

PONTOS PARA APERFEIÇOAR:

1. _____
2. _____
3. _____

Capítulo 6

ESCREVA UM LIVRO

Parece que estamos avançando rápido demais, não é mesmo? Afinal, entre fazer uma venda e escrever um livro, há uma certa distância a ser percorrida. No entanto, digo a você que transformar a sua história em um livro é mais fácil do que você imagina.

O primeiro passo é pensar na história que você quer contar. E, basicamente, tomar a decisão de compartilhar algo com alguém, pode ser a sua história, sua carreira ou algo que você domine e queira dividir. É o que vai definir se você publica ou não o livro.

Se você não tem dinheiro para contratar uma editora para publicar a obra, a solução é simples, faça uma pré-venda, assim você arrecada um valor antes de mandar o livro para a gráfica.

A partir daí, você ajusta um ou outro detalhe e lança o seu livro sem que um empecilho financeiro o bloqueie. Percebe que o que manda aqui é a sua decisão?

Isso sem contar que, além de livros físicos, publicados por editoras, você pode produzir um e-book e comercializá-lo gratuitamente ou pelo valor que considerar justo.

O importante aqui é você contar a sua história e compartilhar os seus conhecimentos. Dividir a sua experiência com outras pessoas, cativar a sua imagem e colocar mais esse ingrediente na sua carreira.

AGORA É COM VOCÊ!

QUE TAL FAZER UM ESBOÇO DO SEU LIVRO?
Vamos a um brainstorm, ou seja, uma "tempestade de ideias": Pense no tema, seria a sua história de vida ou algum episódio pessoal que já lhe ocorreu?
Seria algo relacionado a sua carreira ou a sua área de estudos e atuação? Registre aqui a sua ideia.

Imagine o que você gostaria de apresentar na capa: a cor, a ilustração ou a foto e, claro, o título, se preferir. Desenhe abaixo um esboço do que imagina:

Ok, mas e o conteúdo? Para quem tem mais habilidade com a fala do que com a escrita, narre em forma de vídeo (privado) o que você gostaria de contar no livro, e contrate alguém para finalizar a parte do texto. Seu livro está pronto!

Cuidado com a pregação

O que eu vou falar aqui vale para o livro e para uma negociação. Não raramente compradores e vendedores citam figuras religiosas em suas argumentações.

O cliente pode mencionar, por exemplo, que Jesus irá ajudá-lo a conquistar algo no futuro, e você, nessa hora, não pode combater esse raciocínio, mas sim se colocar como um aliado naquele propósito de ajudar esta pessoa a alcançar o seu objetivo.

Você pode, até em um tom mais descontraído, responder que Jesus o enviou para ajudar o seu cliente a realizar o sonho dele.

Quando em uma negociação você, no papel de vendedor, tem um discurso mais parecido com uma pregação, você pode, mesmo sem a intenção, reduzir o seu nicho e acabar se distanciando da sua venda.

O pitch perfeito

Você sabe o que é um pitch?

Resumidamente, o pitch é uma apresentação curta e direta que tem como objetivo despertar a atenção de um investidor, parceiro ou cliente.

Sabendo disso, compreenda que o mandamento principal para fazer o pitch perfeito consiste em você não falar do produto primeiramente. Leve o seu cliente até o lugar a que você quer que ele chegue. O que significa isso? Em um exemplo abstrato, ao fazer um bom pitch, você constrói e aprecia o caminho, você não dá a localização final. Percebeu a diferença?

AGORA É COM VOCÊ!

Coloque no papel o pitch do seu negócio, faça uma espécie de roteiro do que você deveria falar para o seu cliente.

Como vender água para quem não está com sede

Pense nos dois sentidos que a frase acima revela, mas, agora, foque na metáfora, na sede de trabalho, na sede de vontade. Quem está com a energia baixa, com a ausência de sede, dificilmente vai fechar um negócio.

Se você está no papel de vendedor e, quando aborda a pessoa percebe nitidamente que ela está com esse déficit de energia, triste, primeiramente pare e busque alguma maneira de acolher esta pessoa.

Depois que você promoveu esse acolhimento, você se preocupa com a sua venda, e, em alguns casos, pode ser que você tenha que adiar este negócio, pois o ser humano ali, na sua frente, não está em condições de fazer um negócio naquele momento.

Em muitas situações, é a sua generosidade e empatia que devem brilhar. E quem faz isso sabe que está fazendo a sua parte com Ele.

O PITCH

Esteja pronto para o improviso.

Tem que ser de verdade. Mentir não vale. A verdade é exponencial.

Venda algo rápido! Você tem 30 segundos para ser claro, objetivo e persuasivo, mostrando o benefício, gerar o valor e apresentar o preço.

Quem é bom para vender fala de benefícios, e não de produto.

No piti, você só grita e não dá resultado. Já no pitch, é o tempo que você leva para persuadir uma pessoa com verdade, improviso, benefício e geração de valor.

Mateus 6:26-34

26 Olhem os passarinhos: não se preocupam com o alimento, não precisam semear, nem de colher ou de armazenar comida, pois o vosso Pai celestial é quem os sustenta. E, para ele, vocês têm muito mais valor do que os passarinhos. **27** As vossas preocupações poderão porventura acrescentar um só momento ao tempo da vossa vida?

28 E para quê preocuparem-se com o vestuário? Olhem os lírios do campo que não têm cuidados com isso! **29** Contudo, nem Salomão em toda a sua glória se vestiu tão bem como eles. **30** E se Deus veste a erva do campo, que hoje é viçosa e amanhã é lançada no fogo, não acham que vos dará também o necessário, almas com tão pouca fé?

31 Portanto, não se preocupem com a comida e a roupa para vestir. **32** Os gentios é que se afadigam com estas coisas, mas o vosso Pai celestial sabe perfeitamente que precisam de tudo isso. **33** Deem pois prioridade ao reino de Deus e à sua justiça e ele dar-vos-á todas estas coisas. **34** Não se preocupem com o dia de amanhã. O dia de amanhã cuidará de si mesmo. Basta a cada dia o seu mal!

O que precisamos aprender com isso? Que a generosidade é mágica, que pode mudar o dia e até fazer a diferença na vida de alguém, além de contribuir para uma sociedade melhor.

Nem tudo é sobre vender. Tem uma hora que você precisa estender a mão e dar o que você tem de bom a oferecer para alguém que não está em um bom momento.

É importante entender a diferença entre negociar e ser generoso. Sua vida não depende da venda que você faz, mas sim do propósito que você carrega. Pegou esse código?

10 códigos
para fazer melhores conexões e ter bons negócios

1 Networking não é somente ter amizade. Influência é poder chegar em um lugar, porém a fluidez possibilita ultrapassar barreiras. Tenha também fluidez.

2 Networking é 85% dos resultados que você não está vivendo até hoje. Cultive-o!

3 Os outros 15% são frutos do conhecimento e da habilidade.

4 Seu crescimento deve ser tão insuportável que será difícil alguém não notar você.

5 Para subir de nível, tem que ter renúncia. Investimento em estudo em vez de prazeres imediatos é um deles.

6 Networking pode ser viciante. Isso porque você consta que boas conexões possibilitam ótimo resultados.

7 Quando você não cria um posicionamento, não consolida o seu brading. Assim, dificilmente alguém desejará se conectar com você.

8 Networking é rede de trabalho. As melhores conexões dão atenção para quem tem relevância. Não é apenas sobre dinheiro, e sim sobre valor.

9 Collabs são ações colaborativas. Por exemplo, você pode fazer vídeos em conjunto. Sua audiência serve a outra pessoa, e a audiência da outra pessoa serve você.

10 Se você tiver a humildade para aprender sempre e se relacionar com as pessoas que estão em um nível acima do seu, você prosperará.

Capítulo 7

COMO CHEGAR LÁ?

Como construir uma carreira ou um negócio de sucesso? Essa é a famosa pergunta do milhão. Não existe uma receita pronta, mas uma coisa é certa: avalie se suas amizades estão na mesma sintonia que você.

Digo isso, pois, se você tem sede e acredita em si mesmo, mas convive com pessoas que vivem na escassez e que não acreditam no que você e no que elas mesmas estão fazendo, isso vai fazer mal a você.

Aliás, se vocês continuarem andando juntos, mas em sintonia diferentes, vocês vão fazer mal um ao outro mesmo sem perceber.

Outro ponto, o sucesso não pode ser medido por meio da quantidade de pessoas que você alcançou em uma quantidade de eventos ou de atividades, por exemplo, mas sim pela experiência das horas trabalhadas, por exercitar as suas capacidades e a sua resiliência.

Quando você decide fazer uma live, por exemplo, e abre a câmera tem uma, duas ou nenhuma pessoa assistindo. Você desistirá?

Você já deve imaginar o que eu penso, afinal, desistir não é do meu feitio. Se você faz uma, duas, dez lives sem público, saiba que isso é treino, experiência, é você alimentando a sua bagagem.

E aqui, mais um alerta: não se trata de fazer algo repetidas vezes, todas iguais, sem parar, de forma automatizada e sem reflexão. A repetição tem que ser progressiva, afinal, sempre há o que ser aprimorado.

Eu disse que não existe uma receita para o sucesso, certo? No entanto, o fluxograma da página a seguir é o mais próximo de uma fórmula e que vai ajudá-lo a chegar lá.

Fluxograma do sucesso

Pense nos dois sentidos que a frase acima revela, mas, agora, foque na metáfora, na sede de trabalho, na sede de vontade. Quem está com a energia baixa, com a ausência de sede, dificilmente vai fechar um negócio.

Se você está no papel de vendedor e, quando aborda a pessoa percebe nitidamente que ela está com esse déficit de energia, triste, primeiramente pare e busque alguma maneira de acolher esta pessoa.

Depois que você promoveu esse acolhimento, você se preocupa com a sua venda, e, em alguns casos, pode ser que você tenha que adiar este negócio, pois o ser humano ali, na sua frente, não está em condições de fazer um negócio naquele momento.

Em muitas situações, é a sua generosidade e empatia que devem brilhar. E quem faz isso sabe que está fazendo a sua parte com Ele.

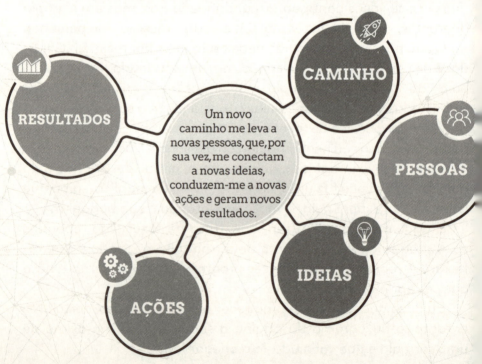

> Se você está no papel de vendedor e, quando aborda a pessoa percebe nitidamente que ela está com déficit de energia e triste, primeiramente pare e busque alguma maneira de acolher esta pessoa.

O poder da pessoa ao lado

Digo e repito que se conectar com as pessoas é o hábito que mudará a sua vida. Não é por acaso que, no fluxograma do sucesso, as pessoas estão em segundo lugar nas prioridades e são corresponsáveis por tudo o que nos acontece dali para frente.

Quando eu cursava MBA de Gestão e Branding, fazia um trabalho com 100% das pessoas da turma; a cada nova tarefa, eu me juntava a um novo grupo de colegas. Além do estudo, meu propósito ali era me conectar com gente.

Esse curso é um bom case que resume a minha filosofia de vida e negócios. Lembro-me que uma conexão que fiz com uma pessoa na sala de aula, com um atendimento individualizado, me rendeu financeiramente o valor da matrícula do curso.

Ou seja, o networking em uma sala de aula, em uma palestra, em um congresso – ou seja lá onde for –, deve ser valorizado, pois é sagrado.

Se você vai assistir a uma palestra, por exemplo, compreenda que o seu propósito ali não é se aproximar do palestrante, mas sim de quem está ali na plateia junto a você. Perceba que estarão unidos por um interesse em comum e que só isso já pode ser o suficiente para criar uma conexão de networking, de parceria, ou mesmo de venda.

AGORA É COM VOCÊ!

ONDE ESTÁ O SEU NETWORKING?

Vamos a mais uma lista. Faça aqui uma relação dos lugares que você frequenta, a começar pela sua vizinhança, e em quais desses espaços você poderia fazer um bom networking. O seu trabalho, a igreja que frequenta, a academia... enfim, anote os locais e expanda a sua habilidade de fazer novos contatos e de se conectar com pessoas.

_____
_____
_____
_____
_____
_____
_____
_____
_____
_____

Cada plantio com semente diferente tem tempo de resposta diferenciado

Já diria aquele ditado: "a pressa é inimiga da perfeição". E não apenas, ela é um dos grandes desafetos de quem está fazendo networking ou prospectando. Você sabia que uma conexão pode levar até um ano para se concretizar? Muita gente desiste dentro de um mês. Assim como em uma negociação, não existe atalho.

Ressalto aqui que, para que as coisas fluam naturalmente, é importante que você não fique parado dependendo de uma pessoa. Fez a conexão e ela não veio na semana seguinte? Tenha calma e siga semeando e caminhando. Por isso, é tão importante fazer networking sempre que possível, adote isso para o dia a dia de trabalho.

Assim como na natureza, cada plantio que você faz com sementes diferentes tem tempo de resposta diferente.

ACESSE O NETWORKING
CONECTE-SE COM NOVAS PESSOAS E GANHE NOVAS OPORTUNIDADES

Muitas vezes, não conseguimos fazer networking por conta de alguns bloqueios que foram gerados em nossa infância. Quando seu pai dizia: "Não fale com estranhos", ele instalou códigos em você – mesmo que desejando o proteger – que o impossibilitam de se relacionar.

Networking é uma rede de relacionamentos. Seu interesse nunca pode ser revelado na entrada, logo de cara. Você somente colherá frutos, se, primeiramente, plantar energia e benefícios.

Não tem problema ter interesse, porém tudo o que desejar deve ter boas sementes antes. Você somente colhe maçã, se plantar sementes. A questão é que uma grande maioria não quer plantar, mas deseja colher.

10 códigos
para ter uma mente forte e negociar melh

1 Cérebro e mente são duas coisas diferentes. O cérebro é o hardware, ou seja, a parte física. Já a mente é o software, um campo de energia. A mente está dentro da alma.

2 Para ter uma mente forte, é preciso ter um cérebro forte. Para tanto, é necessário treiná-lo. Exemplo: se você falar para seu cérebro que ama correr na subida, ele vai amar por mais desafiador que seja.

3 O cérebro só quer sobreviver. Por isso, treine-o progressivamente. O cérebro ama recompensa, e esta precisa ser exclusiva. Exemplo: apenas poderá fazer algo que gosta muito após concluir uma tarefa que não gosta.

4 O cérebro não gosta de atividades que não liberam dopamina, ou seja, aquelas que você não sente prazer em fazê-las. Assim, a tendência é procrastinar em ações que não gosta de fazer. Nesse caso, trabalhe também a recompensa.

5 Drivers mentais são as respostas imediatas do cérebro. É a forma que você pensa. Por isso, treine-o até virar um hábito, algo fluido.

6 Teste, repetição e progressão são as ações que deixam seu cérebro uma verdadeira máquina!

7 Se você convive com pessoas que não possuem o hábito que você deseja alcançar, dificilmente conseguirá construí-lo. O ambiente e as pessoas ao seu redor são fundamentais também para treinar seu cérebro.

8 Seja resistente! Pare de dar desculpa, de se atrasar e de desistir de seus projetos.

9 Não deixe os outros atrasarem o seu progresso. Deixe ir aqueles que não contribuem para o seu avanço.

10 Não tenha uma mentalidade de escassez. Muitos deixam o carro sempre com o combustível no vermelho, por exemplo. Isso é mentalidade de escassez! Se não tem dinheiro para colocar combustível, deixe o carro parado até conquistar.

> Capítulo 8

A sua maior arma é um ponto de interrogação. FAÇA PERGUNTAS!

VIRANDO A CHAVE

Certa vez, ao palestrar para funcionários do alto escalão de uma multinacional do ramo de seguros – todos na plateia ganhavam no mínimo R$ 60 mil por mês de salário –, propus um desafio.

Eu disse a eles que, caso me vencessem em uma negociação, eu pagaria R$ 1 milhão para o grupo. O clima então mudou da água para o vinho e o ar de sobriedade ganhou contornos de euforia. No entanto, eu sabia que eles não me venceriam, sabe por quê? Por essas coisas aqui que eu disse a eles:

- Eu não desisto, diferentemente de vocês;
- Eu sei fazer perguntas, vocês não sabem;
- Se vocês atacarem meu emocional, eu vou rir. Já se eu atacar vocês, vão chorar;
- Vou ler a sua microexpressão facial e atacar na sua alma – isso sem você saber do que estou falando, mas se souber, o êxito ainda será meu.

Nem preciso falar para você que não tive que pagar R$ 1 sequer.

Nada de correr atrás, você tem que atrair

Pode parecer uma ideia desmotivacional o que você vai ler, mas é a pura verdade: ser bem-sucedido não é fechar todos os negócios.

Sabe aquela velha frase: "O 'não' eu já tenho, o 'sim' eu consigo"? Esqueça!

Eu, Pablo, ressignifiquei esse pensamento para "Eu sou o 'sim' que as pessoas procuram. O 'não' vai acontecer apenas quando eu não estiver".

No entanto, como fazer para ser o SIM que as pessoas procuram? Criar um conteúdo novo? Asseguro a você que até cinco anos atrás oferecer um novo conteúdo até seria decisivo, hoje, não é mais. O que as pessoas estão procurando é método, experiência e energia.

Então, quer dizer que conteúdo não é importante? Não é exatamente isso. Conteúdo sobre quase todo e qualquer assunto é gratuito na internet em todas as línguas e formatos possíveis.

Nós vivemos na geração de conteúdo. E quando todo mundo está criando a mesma coisa, essa coisa perde o seu valor.

Quer um exemplo? Se eu vou em um bar e pago R$ 0,50 em um copo americano de café, por que eu pago R$ 10 em um copo de café na Starbucks? Não é de conteúdo que se trata, mas, sim, da experiência, do storytelling, a energia. Pegou o código?

Outro case clássico. Na Bíblia, há ensinamentos sobre tudo, de finanças e investimentos à futurologia. Quem realmente lê? Se você se interessar pela leitura da Bíblia, você encontrará caminhos para a prosperidade.

E nesse gap entre o livro não lido e a pessoa que quer saber como prosperar sem lê-lo, existirá alguém que venderá um curso ensinando algo, um método, que estava ali, bem diante dos olhos, e bastava ler.

O conteúdo não muda a sua vida, o que realmente muda a sua vida é o método, a experiência e a energia. Você nunca comprará nada de ninguém que tenha uma energia pior que a sua.

Deixe de ser um pateta!

Para obter êxito na arte de negociar, a primeira negociação que você tem que fazer é com você mesmo e deixar de ser um pateta! Desculpe-me pela colocação mais dura, mas vamos aos fatos.

Primeiramente, pare de procrastinar, pare de mentir e de ser medroso. E lembre-se de que a negociação com você mesmo é diária.

É preciso renunciar o ócio. Negócio significa negar o ócio. Quanto mais improdutivo você é, menos negócios você faz. Quanto mais produtiva uma pessoa é em conexões, ressignificados e desapegos, mais negócios essa pessoa tem.

Outra dica: o inteligente no mundo dos negócios sempre abrirá mão primeiro para então ficar com crédito com o outro. Ao fazer isso, você instalou reciprocidade na cabeça do outro. Pegou o código?

Quem cede primeiro é o generoso e terá nas mãos o poder da cobrança, tomando para si a negociação. Se você for muito duro e incisivo, dificilmente terá algo que poderá extrair no futuro, pois você não instalou nenhuma chave cognitiva na pessoa.

> Quem não negocia paga caro. E a depender do que deixou de negociar, pode levar 10 ou até 20 anos para recuperar.

10 códigos

para ser uma máquina
exponencial de resultados

1. O seu CPF tem que ter mais valor do que o seu CNPJ. Quem sustenta os seus negócios? Você! Então, invista em conhecimento e acredite no seu potencial.

2. Quando uma empresa quebra? Quando o CPF começa a ficar muito frágil. Crie os ambientes que aumentem sempre a sua frequência.

3. Aproveite nossa era: quem acordar cedo, estudar, se conectar, transbordar e modelar mais receberá mais. Tudo o que fizer a mais será recompensado por isso.

4. Se você não for dono do jogo, será escravo. Quem você é hoje?

5. Deus dá semente para aquele que semeia.

6. Resista até depois do fim. Não deixe que suas crenças o façam desistir. Resista mesmo sem vontade!

7. A prosperidade vem progressivamente, pacientemente.

8. Tenha uma mente focada em resultado com foco, disciplina e determinação.

9. O fato de não ter dinheiro em sua carteira agora mostra o efeito de escassez. Mas qual seria a causa? A escassez pode ter começado ainda na infância com as crenças estabelecidas por seus pais. Por isso, o desbloqueio emocional é tão importante para prosperar.

10. Se você entender que pode ser abundante em tudo onde coloca seus pés e suas mãos, você terá uma ira contra tudo aquilo que lhe bloqueia.

Capítulo 9

Os meus resultados de hoje são equivalentes aos códigos que eu carrego.

A CEREJA DO BOLO

Como você reconhece um vendedor canalha? Quando ele terminou a venda, recebeu o dinheiro e para ele acabou tudo.

Nesse caso, falta algo que fecha a sequência do fluxograma da negociação que mostrei há alguns capítulos. Falta a cereja do bolo que é o encantamento!

O bom vendedor de uma loja física, por exemplo, não encerra o contato quando passa o cartão. Ele pega a sua sacola, o acompanha até a porta, pega o seu contato e se despede com gentileza.

Para não ser a pessoa que vende desta maneira, sem se importar com o encantamento, lembre-se de que a venda não acaba no pagamento.

Assim como em uma relação afetiva, no qual muitos homens se viram para o outro lado e dormem logo após o ato sexual, na venda é a mesma coisa. A negociação não começou ali e não pode se encerrar ali, existe um antes e um depois.

Se o encantamento lhe parece difícil, assim como a negociação, a orientação é uma só: treine!

Dica de livro:
O jeito Disney de encantar os clientes
(Editora Saraiva)

Deixo aqui a sinopse de um livro que recomendo que você leia para se aprofundar na arte do encantamento. O livro O jeito Disney de encantar os clientes – Do Atendimento Excepcional ao Nunca Parar de Acreditar.

Todas as empresas buscam atingir a mesma meta: atender melhor as pessoas que compram seus produtos e serviços. Não importa se elas são chamadas de clientes, consumidores, pacientes ou, no caso da Disney, convidados. Ou você as satisfaz ou corre o risco de perdê-las. Apesar de as tendências para o ambiente de trabalho irem e virem, as empresas sempre precisarão encontrar novas e criativas maneiras de capitalizar a inteligência, a paixão e a energia criativa de sua força de trabalho. Pela primeira vez, o elemento mais importante da metodologia que está por trás da magia Disney será revelado? O atendimento de qualidade. Neste livro, os bastidores são apresentados para mostrar as melhores práticas e filosofias da Disney em ação, proporcionando uma visão dos princípios de atendimento de qualidade na prática, tanto no Walt Disney World, sob o ponto de vista dos membros do elenco, quanto em outras organizações, de acordo com os executivos que participaram dos programas do Disney Institute.

Não invente desculpas

Se a pessoa com quem você tem que negociar todos os dias é você, sinto informá-lo, mas a pessoa que mais pode o atrapalhar nos negócios também é você. Portanto, cuide de você!

No entanto, além das "autonegociações", para prosperar, é preciso negociar também com Deus. E sabe o que Ele sempre pede em troca? Cuide do povo, das pessoas, do seu próximo e, claro, de você mesmo.

A sua vida não pode ser um meio para ganhar dinheiro ou para outras finalidades materiais, sua vida é um fim, é o propósito. Sua vida deve estar a serviço de outras vidas.

As coisas que estão na palma da sua mão

Já listei aqui os cinco parâmetros da negociação e que podem ser contados com os dedos de uma mão, lembra? A sua mão é poderosa e, além das etapas da negociação, guarda outras referências como essa abaixo que se aplica à vida financeira.

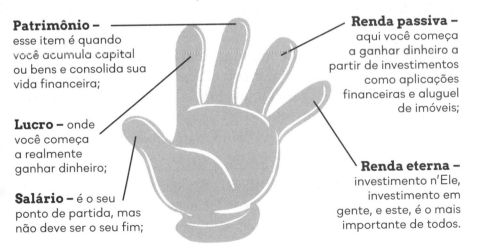

Patrimônio – esse item é quando você acumula capital ou bens e consolida sua vida financeira;

Lucro – onde você começa a realmente ganhar dinheiro;

Salário – é o seu ponto de partida, mas não deve ser o seu fim;

Renda passiva – aqui você começa a ganhar dinheiro a partir de investimentos como aplicações financeiras e aluguel de imóveis;

Renda eterna – investimento n'Ele, investimento em gente, e este, é o mais importante de todos.

Agora, se você é dono de uma empresa, conte nos seus dedos quais são os cinco dias mais importantes para ela:

- O dia da fundação;
- O dia que ela entra em equilíbrio e para de dar prejuízos;
- O dia do payback, que é quando ela começa a devolver o dinheiro que você investiu;
- O dia de nomear o CEO;
- Por fim, o dia de transmitir o legado.

Como assim transmitir o legado? Assim como se foi o tempo em que a meta de vida de uma pessoa era trabalhar no mesmo emprego a vida toda, quando você tem um negócio, o seu objetivo não deve ser o de permanecer com ele para sempre.

Lembra-se do que falei sobre estabilidade na introdução deste livro? Lembra do que eu disse sobre estar sempre em crescimento? Pense que, com os negócios, funciona da mesma forma.

O que fazer com a dor?

Quando eu falo em dor, não estou me referindo necessariamente a algo físico – mas pode até ser. Quando falo em dor, quero dizer empecilhos, problemas e dificuldades. E, curiosamente, a grafia das palavras que costumamos usar rotineiramente já nos revela o que está por trás de seus respectivos significados.

- NegociaDOR - negocia, equilibra as dores sua e do outro;
- VendeDOR - não só compra, mas tem a habilidade de vender a dor;
- EmpreendeDOR - pega a dor que está lá e faz acontecer com ela;
- VenceDOR - supera a dor;
- TrabalhaDOR – usa essa dor como material de trabalho.

Saber o que fazer com a dor do outro definirá o rumo que você tomará na sua trajetória profissional. Além disso, definirá o tipo de coisa que você conseguirá comprar. Definirá também a quantidade de dinheiro que você terá, bem como o que você fará com a sua vida!

Você entraria em um tanque com tubarões?

Causa-me um grande impacto uma das etapas do treinamento da marinha dos Estados Unidos, a mais poderosa do mundo. A equipe precisa entrar em um tanque com tubarões. Você entraria?

Eu adianto a você que eu entraria! Não pense que estou doido, mas sabe o que muda tudo em uma situação de alto risco como essa? O método.

Primeiramente, o tubarão estaria alimentado? Em segundo lugar, para eu me dedicar a uma empreitada dessa, eu gastaria horas estudando o animal. Para uma dor gigante, é preciso uma dedicação na mesma proporção.

Cada informação a respeito do comportamento do animal me seria de grande valia. Você já ouviu aquela frase que diz que o conhecimento é algo que ninguém lhe toma? Valorizar o saber é uma das virtudes de um ser humano e um dos segredos de um bom negociador.

Este formato de treinamento é real, cada detalhe aprendido conta, pois pode significar a perda da sua vida. É tudo muito meticuloso. E quem não se submeter a essa experiência não se gradua.

Portanto, pesquisar, estudar e ouvir todo tipo de instrução é valioso, do assunto mais simples ao mais complexo. Quanto mais conhecimento você tiver a respeito de assuntos variados, mais chances você terá de fechar um negócio e de salvar uma vida.

> Nunca vou aplaudir o riso do tolo, que debocha de instruções.

E disse Deus: *Façamos o homem à nossa imagem, conforme a nossa semelhança; e domine sobre os peixes do mar, e sobre as aves dos céus, e sobre o gado; e sobre toda a terra, e sobre todo o réptil que se move sobre a terra. Gênesis 1:25*

10 códigos
para desbloquear o medo e ter uma melhor negociação

1. O medo é combatido com ação imediata de enfrentamento. Quanto mais você enrolar para resolver uma situação, mais medroso estará.

2. Crianças fazem o que querem. Adultos fazem o que precisa ser feito.

3. Não tem como ficar sem ter medo de alguma coisa. Por isso, é importante enfrentá-los.

4. O medo é uma semente. Cada vez que uma pessoa planta essa semente na sua cabeça, poderá lhe paralisar. Por isso, seu emocional deve ser forte o suficiente para não aceitar essa transferência de medo.

5. Existem pessoas que são adubos para florescer o medo. Saiba eliminar esses adubos da sua vida. Exemplo: aquelas pessoas que somente proliferam notícias ruins, principalmente quando você apresenta uma nova ideia.

6. O agrotóxico melhor para acabar com o medo é a ação positiva de enfrentamento.

7. A vida não é uma sorte. Entenda que em tudo é preciso plantar para colher. Acredite, com esse planejamento, o medo reduz, pois você estará apto para enfrentá-lo.

8. O medo não é do seu físico, está na sua alma, na sua mente.

9. O único lugar que nasce sua força é de dentro de você. Então, coloque sua meta dentro da sua mente e faça acontecer! Mesmo com medo, faça.

10. É o medo que tem que ter medo da gente!

> **Capítulo 10**

"O medo é o maior impeditivo (sensor) que paralisa uma pessoa. Se tiver medo, você não consegue prosperar."

DESBLOQUEIE-SE!

Negociar pode não ser tão fácil logo de cara, é preciso conhecer as técnicas, treinar, adquirir experiência e seguir em frente, aprimorando-se, lembrando de ser generoso e de que se até Deus foi capaz de negociar, não há outros seres no mundo que não sejam acessíveis para se fazer negócio.

Portanto, desbloqueie-se! Livre-se do seu medo de negociar, de se comunicar e de vender.

Uma vez comprei um terno extremamente caro para me desbloquear, o gatilho era tanto que meu corpo tremia por inteiro ao fazer aquela compra. Contudo, esse terno caríssimo, acima do que eu normalmente comprava, me destravou alguns bloqueios que eu tinha e que seguiriam comigo, caso eu não ousasse.

Por falar em roupas, saiba que toda mudança de ambiente que você faz, você tem que mudar também o traje. Se você quiser ser astronauta, mergulhador, deputado ou presidente da República, você terá que incrementar o seu guarda-roupas.

Pense hoje em quais pessoas você quer alcançar, em quais ambientes você deseja frequentar, quais negócios você deseja fazer e revise o seu guarda-roupas. Às vezes, uma peça é capaz de destravar você.

Merecimento está ligado às possibilidades

O favor de Deus está ligado ao impossível. E a partir daí saiba que existem três cenários:

NÃO MERECIMENTO: é quando o corpo, o cérebro e a vida estão cheios de gordura, ou seja, seu corpo, sua alma e seu espírito não estão devidamente higienizados. É como se você abrisse o chuveiro e saísse uma cascata de gordura. Nesse caso, acontece o bloqueio de autoimagem: você não percebe o seu merecimento de coisas boas e acaba as afastando da sua vida.

MERECIMENTO: aqui eu falo sobre possibilidades. O que eu chamo de impossível? Aquilo que eu ainda não vi. O que eu vi, sei que é possível e, a partir desse ponto, é só encontrar quem tem a chave. Saber como faz para pegar essa chave. A impossibilidade só existe na cabeça de quem ainda não viu.

FAVOR DE DEUS – neste tópico, eu vou chocá-lo, pois quero contar a você que nenhuma oração tem o poder de tocar o coração de Deus. Se fosse assim, eu poderia vender orações, não poderia? Afinal, sou bem-sucedido. Mas Ele não quer saber da oração, mas sim do coração. Não adianta cantar músicas bonitas na igreja, se, no seu íntimo, o ódio e o rancor é quem ditam o ritmo.

Quando você parar para pensar se é possível ou não fazer algo, veja se Deus está junto de você neste projeto. Se não estiver, caia fora!

Agora, se mesmo que você ainda não tenha visto, se lhe parece impossível, mas sente que Deus está contigo nesta, vá em frente!comprar. Definirá também a quantidade de dinheiro que você terá, bem como o que você fará com a sua vida!

Negociando com os tempos

Negociar com você mesmo significa negociar com os diferentes tempos da sua vida. Ou seja, com passado, presente e futuro.

O que e como você negocia com o passado? Sabe aquele abuso, aquela traição, algo que o marcou e que o assombra até hoje e toma o seu tempo? Não é uma tarefa fácil, afinal, por que você deixaria de ser desconfiado, se, no tempo presente, essa zona de conforto o protege? Protege você, mas também aprisiona, e é aí que o passado compromete o presente e talvez até o futuro.

Lembre-se: o passado só negocia individualmente. Se você está sozinho e sem apoio nessa negociação com o passado, você sempre volta para ele. Ter alguém junto de você na caminhada irá ajudá-lo a se levantar quando você precisar e será muito, mas muito mais fácil para seguir em frente.

É hora de negociar com o presente. Neste momento, vamos supor que uma das suas propostas é acordar cedo e treinar regularmente para perder 15 kg. Veja, esta não é a primeira vez que você diz isso, e obviamente nas últimas não deu certo, e aí o passado está diante de você novamente.

Por que então não começar negociando eliminar 5 kg? Um degrau de cada vez. Perceba, você não engorda porque come comida, mas, sim, porque come emoções.

Compreendida essa parte, é hora de fazer negócio com o presente. E esse negociador também é possessivo, quer você por inteiro. Para uma negociação dar certo com o presente, com o hoje, você tem que se dedicar a ele, ou seja, fazer o seu melhor de "hoje" todos os dias. Conquistar microrresultados a cada hoje.

> E também o nosso gado há de ir conosco; nem uma unha ficará; porque dele havemos de tomar para servir ao Senhor nosso Deus; porque não sabemos com que havemos de servir ao Senhor, até que cheguemos lá. *Êxodo 10:26*

E não pense que negociar com o futuro sem acertar as contas com o presente é mais fácil. Não existe atalho. Caso o hoje seja negligenciado, o futuro também será e o passado ocupará cada vez mais espaço. Para colher no futuro, é preciso plantar no presente.

Meu passado é poderoso, mas, quando eu assumo o presente, ele perde força e eu consigo vislumbrar o futuro, mas não posso querer morar no futuro. Tenho que plantar agora, para começar a colher, afinal, não é possível ir até o amanhã para conhecer o que está se passando por lá e voltar.

Fazer o hoje o permite projetar o futuro e tira energia do passado.

Digamos que você é uma semente e que o passado é uma biblioteca, o presente é o campo e o futuro é o laboratório. Qual é o único ambiente que a semente irá prosperar? A semente somente prosperará no campo.

Em uma proporção, dedique 70% do seu tempo ao presente, 20% ao futuro, aos planos e prognósticos, e 10% ao passado para efeito de histórico.

Pular as etapas do presente para o futuro o fará ansioso e menos produtivo. Lembre: os resultados só acontecem no presente.

Por que então não apagar o passado para seguir em frente? Porque você poderá andar nos mesmos erros.
É a biblioteca da sua vida.

AGORA É COM VOCÊ!

Um exercício que fiz e que recomendo aqui é escrever um e-mail para você mesmo falando das coisas boas e ruins que você está fazendo em determinados ciclos. Por exemplo, quando eu entregava a declaração do imposto de renda no último dia do prazo, eu costumava escrever me dando uma bronca, dizendo que eu não iria prosperar se continuasse daquele jeito, fazendo as coisas na última hora. Era muito legal fechar um ciclo vendo o que estava acontecendo e como eu enxergava as coisas no início. Quando eu começava um negócio, também me parabenizava por aquilo. E no final da jornada, eu abria aquele e-mail e era interessante ver o quão eu havia me esforçado, quais eram as minhas expectativas em relação àquilo. Aqui quero propor que você escreva para si mesmo uma mensagem para você sobre a sua vida no presente. Faça um panorama das áreas pessoal, profissional e espiritual da sua vida, coloque no papel o que você tem, quais são os seus desejos, as suas expectativas, o que você está fazendo e, daqui a um ano, abra, olhe e perceba como você mudou. Olá, eu do futuro!

O que é o futuro?

A maior negociação que você deve fazer não é de uma casa ou um carro, é a negociação diária com seu cérebro. Conciliar passado, presente e futuro em suas devidas proporções.

No entanto, devemos plantar hoje para colher no futuro? Não! Embora nosso cérebro tenha sido programado para acreditar nisso, o que importa é o presente, e a colheita já começa hoje! Pense: você já comprou na feira uma maçã do ano de 2028?

O futuro não existe na produtividade. Vou lhe dar uma definição que espero que você não esqueça: o futuro é uma proa. Ele aponta a direção, mas o modo como você vai e os métodos que usa estão no agora. Ao fazer uma viagem de carro, por exemplo, se você se preocupa apenas com o futuro, com a chegada, você não aproveita as paisagens que o brindam no trajeto. Não curte a companhia das pessoas que estão com você no carro.

Entenda: amanhã é uma direção, é um tempo filosófico. O amanhã nunca existiu. E a esperança? Essa eu deposito no agora e miro para a proa.

GOVERNE NO TEMPO
Foque, pelo menos, 70% no hoje. Deixe apenas 10% para o passado, pois você deve administrar a sua história. E os demais 20% no futuro, a fim de criar projetos novos.

FOQUE NO HOJE
Não tem gestão de passado ou futuro. É preciso saber governar o agora.

FAÇA VALER!
O tempo não para por sua causa. Então, gaste sua energia com besteira!

PRODUTIVIDADE
Só sente quem tem improdutividade aquele que já produz, mas sabe que pode chegar no ápice da performance. Quem procrastina não produz nada.

GESTÃO NO TEMPO

PRIORIZE O QUE FAZ VOCÊ AVANÇAR
Como faz para ser bom na gestão no tempo? São as escolhas que você faz entre rotina (hábitos), tarefas e projetos.

AGORA É COM VOCÊ!

Quero propor uma atividade para exercitar o seu poder de ação e a sua esperança. Quero que você escreva não apenas quais são as suas metas para o futuro, mas quais são as suas micrometas no presente. Anote o que você tem feito no dia a dia para alcançar um objetivo maior. É acordar mais cedo? É ler um livro por semana? Vamos lá:

_____
_____
_____
_____
_____
_____
_____
_____
_____
_____
_____
_____

10 códigos

para ter autogoverno e saber negociar

1 Não tenha a necessidade de aprovação. Assuma seus erros. As pessoas que têm medo de errar não produzem nada.

2 Se você não governar naquilo que o Senhor colocou em seu coração, não prosperará. E como descobrir o que é? Escavando!

3 Na Terra nunca acabará a riqueza, mas você pode perder o acesso se não governar como deve ser feito.

4 O autogoverno começa na identidade. Ame-se a ti mesmo para poder estabelecer relações saudáveis.

5 Não dependa de ninguém emocionalmente. Se você mesmo adulto ainda depende emocionalmente de alguém, ainda é uma criança.

6 Amadureça, aprenda a fazer perguntas e solte os lixos que estão dentro de você.

7 Se você fala que alguém precisa resolver um problema para você, significa que você não tem autogoverno.

8 Todos os dias, conecte-se com novas pessoas de alta frequência para sua cabeça abrir.

9 Ame tanto a sua vida para não se importar com o que os outros falam sobre ela.

10 O segredo do autogoverno está no coração. Como você reage em situações de conflito demonstra quem você é, além dos bloqueios que carrega.

Capítulo 11

NOVA FORMA DE GOVERNAR

Digamos que este é um capítulo-bônus, com uma pitada de política, no qual eu quero explicar para você as diferenças das formas de governar e apresentar a você uma nova perspectiva.

Veja a seguir uma definição bem objetiva a respeito dos modelos de governança atuais:

CAPITALISMO - 2% das pessoas governam, relações são pautadas por dinheiro;

SOCIALISMO - se 98% forem socialistas, o capitalismo segue inabalável, as relações são pautadas pela busca da igualdade que não existe;

COMUNISMO - 100% de pobreza, quando isso acontece, game over;

GOVERNALISMO - modelo baseado em identidade e propósito, as pessoas começam a governar a sua própria vida, depois sua casa, seus negócios, comunidades locais e segue expandindo sua governança.

Você já tinha ouvido falar neste último modelo? O governalismo é uma teoria política criada e proposta por mim no ano de 2022.

Esta teoria une as liberdades individuais baseadas no cuidado, na prosperidade, no pragmatismo e no senso coletivo, ao fim de uma política ideológica.

Não quero mudar a mentalidade do povo, mas que cada um cresça à sua medida.

Como governar nas três esferas

A arte de negociar engloba a sua capacidade de governar. E é isso que vamos explorar neste capítulo.

Quero começar falando de algo sobre o qual muitas pessoas têm comentado: a morte. Não se preocupe com a hora em que você morrerá. Se quando chegar essa hora você estiver curtindo a vida adoidado, terá sido o suficiente.

Já me perguntaram se eu não tenho medo de morrer pilotando. Prefiro encerrar a minha vida igual ao Ayrton Senna do que ser um escravo vivendo até os 100 anos. O Senna morreu aos 34 anos, foi tricampeão mundial, ajudava um monte de gente, aliás, ainda ajuda, até hoje, mesmo três décadas após sua morte.

Nesta vida, apenas uma pessoa não pode morrer, que foi quem não pecou, essa pessoa é Cristo.

A vida é uma aventura maravilhosa! Para você governar sobre todas as coisas, primeiramente você precisa governar sobre você.

Não é sobre o esforço de querer ser bonzinho. Eu já quis ser bonzinho. E posso lhe garantir que é ruim. Não é sobre isso que se trata.

As pessoas, quando olham para a figura de Jesus, pensam que ele é tão bonzinho, puro engano, não é bem assim como você pensa. Ele já quebrou tudo em um templo. Lembre-se: quem governa não é bonzinho.

E mais: Jesus voltará com um cetro de ferro na mão que aponta para a justiça e não quer conversa.

Alguém pode falar: "Ah, mas eu queria democracia". Para o seu conhecimento, o olho dEle está se enchendo de fogo. Não terá conversa, não será o que vocês querem, Ele já decidiu como será.

Muitas pessoas ficarão assustadas quando virem Jesus, pois Ele não se parecerá com a figura projetada por Hollywood.

Governo não é sobre ser bonzinho, é fazer o que precisa ser feito. Você quer agradar seus amigos? Se você quer viver agradando os outros, faça um favor a si mesmo e esqueça isso. É a teoria do equilíbrio.

AGORA É COM VOCÊ!

Possivelmente, vou fazer você passar raiva e relembrar fatos desagradáveis, mas que são necessários para o seu crescimento. Respire fundo e liste abaixo quantas vezes você foi ou tentou ser bonzinho e acabou quebrando a cara e se decepcionando com alguém?

_____
_____
_____
_____
_____
_____
_____
_____
_____
_____
_____
_____
_____
_____

Mundo espiritual

Um dos pilares da sua governança é a gestão do tempo, que se relaciona diretamente com a sua produtividade. Você tem mais de um milhão de horas de vida. E aí? O que você faz com isso? É preciso ter domínio deste tempo.

Outro poder com o qual você deve lidar na sua governança é o mundo espiritual. Para mim, se uma pessoa não domina esse tipo de assunto, provavelmente terei dificuldades de comunicação com ela.

Perceba, não se trata de arrogância. Contdo, uma pessoa que não entendeu o mundo espiritual tem pouco para acrescentar na vida de alguém, ela é muito superficial. É como se fosse uma caixa de água que em vez de 500 litros tem apenas cinco. É muito rasa.

As pessoas superficiais não entendem a esfera superior. E só entende esta parte quem tem um espírito.

Se uma pessoa visitar um terreiro de macumba compreenderá muito melhor o mundo espiritual do que se passar um ano frequentando um culto ou uma missa. Sabe por que estou dizendo isso?

Em um lugar você verá um ritual muito sério. Em outro, você irá se deparar com um monte de gente com celular na mão, com chiclete na boca. No terreiro não tem esse descaso.

Se você carrega o espírito santo, perceberá, em um local com uma linha de pensamento oposta, como o mundo espiritual é real. Você entenderá que o mundo espiritual existe do modo mais verdadeiro possível.

Quando você percebe isso, dá até um certo temor. Seu córtex visual não tem essa referência, então quando você consegue quase que pegar na mão, o mundo espiritual o deixa embasbacado. Pode parecer uma brincadeira, mas não é. Tem gente que acha esquisito. Desde criança, eu conheço o mundo espiritual e ele não é esquisito.

O que acontece é que toda pessoa é estranha e faz suas coisas de maneira estranha ao outro. Porém, quando você tem as suas próprias experiências e se depara com a realidade do mundo espiritual, a frequência muda.de dinheiro que você terá, bem como o que você fará com a sua vida!

> *...Melhor é o que governa o seu espírito do que o que toma uma cidade.*
> **Provérbios 16.32**

No que você tem acreditado?

Não me entenda mal. Porém eu desejo, do fundo do meu coração, que você se depare com um diabo, dos "brabos", para você ter a dimensão e compreender o que é o mundo espiritual. É em uma situação como essa que você irá revigorar a força do seu espírito.

Certa vez, deixaram um sapo com a boca costurada na porta da minha empresa. Todos ficaram horrorizados, minha mãe inclusive. Eu perguntei se alguém tinha aberto a boca do animal para retirar a mensagem que havia dentro e, em meio a risos e expressões de medo e nojo, me disseram que não e que tinham se desfeito do anfíbio. É curioso, pois muita gente acredita e fica muito sensibilizada com uma macumba, mas se você fala que Deus é sua imagem e semelhança ela não acredita.

Esse é o problema, é a falta de experiência espiritual que faz você crer em algo do mal e que funciona só na sua cabeça. Não funciona.

Certa vez, em um evento em que todas as pessoas oravam muito por cada detalhe daquele acontecimento, chegou a minha vez de orar e a expectativa naquele ambiente era por uma oração fervorosa.

Eu então abri a boca e falei: "Senhor, este evento é seu e eu não vou orar por nada. Porque o que está em nós e está no mundo não é da nossa conta. E tudo o que acontecer aqui a culpa é sua". O pastor olhou para mim em uma decepção e disse que iria orar novamente.

Algo que quero esclarecer aqui é que crença não é o mundo espiritual. Você tem que crer no racional. Se gerar emoção, é diferente. Fico indignado de as pessoas considerarem que crença é algo que está apenas na sua cabeça, como sendo o mundo espiritual. As pessoas são carregadas de crença. Vou usar um exemplo bastante comum e que certamente você já viu por aí. Uma família deixa uma Bíblia aberta o tempo todo na sala, porque acredita que o espírito santo vai sair dali.

Ter crença ajuda? Pode até ajudar, confortá-lo, mas não resolve nada. Não dá resultado. E eu não quero que você jogue fora tudo o que você aprendeu e viveu até hoje, mas que, após a leitura deste livro, você saia com um fato novo.

Você pode imaginar o clima que toma uma palestra quando eu digo isso diante de um auditório lotado. Certa vez, um homem quis me bater, porque não conseguiu assimilar. Digo sem medo de errar que até um ateu acredita mais em Jesus do que alguém que fala o tempo inteiro. Se você recorre a Ele o dia todo, para resolver qualquer questão familiar, de saúde, financeira, profissional ou de outros âmbitos, quando ouve falar no nome de Jesus, não acredita na solução. É químico. A culpa não é sua.

Se um ateu, que não fala no nome de Jesus o tempo todo, mas que o cita em um momento específico – normalmente de muita dor –, certamente ele crê mais do que aquele que está sempre com o nome de Jesus na boca e até agora nada aconteceu.

O problema é falar demais, usar o nome em vão. Pois, se o nome mais poderoso da existência não funciona na sua boca, a culpa não é do nome. Entenda, tem coisas que nem Jesus, Deus ou o diabo farão ou serão responsáveis. Há coisas que são da sua conta, você tem que fazer.

ANOTA ESSE CÓDIGO:
Tudo o que é possível é só da minha conta!

O que é impossível é da conta dEle. Se alguém precisa do remédio mais caro do mundo, a gente se reúne, faz uma vaquinha e compra. Agora, se é um milagre a gente tem que sentar e descansar, pois a partir daí é algo que foge da nossa alçada.

E perceba a inversão lógica. Você quer se preocupar com os milagres, e onde as coisas são possíveis você quer Deus trabalhando para você.

Como você compra um jato

Anota esse código: quem trabalha não compra um jato, pode trabalhar a vida toda. O máximo que acontecerá é alugar um jato.

Contudo, como que um tal de Pablo Marçal tem um? O que é preciso para alcançar uma conquista dessa? Vamos lá:

Governar;

Potencializar energia;

Canalizar energia;

Fazer networking;

Modelagem;

Faz o que é preciso fazer.

E aí então você chega no nível de frequência compatível para governar com uma máquina dessa nos ares. Porém trabalhando não tem como, não dá nem tempo. Quem trabalha não tem tempo para construir riqueza.

Governança em casa

Governar um lar não é moleza. Para quem tem criança, o desafio é muito maior. Mas saiba que quem governa dá exemplo para os filhos.

Eu tenho quatro, eles são crianças ainda, e a hora do jantar nem sempre é aquele mar de rosas, pelo contrário. Contudo, meia hora que você gasta ali de trato, de conversa, de negociação e até de certas discussões, pode ter certeza que resultarão em trinta dias a mais de sono tranquilo que você terá no futuro.

Se você não tem esses 30 minutos de tempo com essa criança, ela se aproveitará. Elas tiram tudo o que querem de adultos impacientes.

Quando ela percebe que governo é persistência, ela tem que baixar a bola. Mas tem um detalhe: todo governo tem que ser mais interessante do que qualquer atividade que essa criança estiver fazendo.

Além disso, é importante saber que ensinar a criança não significa que você fará com que ela tenha medo. Também não quer dizer que você tenha que brigar por tudo que ela faça e que não seja do seu agrado, por qualquer objeto quebrado ou fora do lugar. Se não ninguém o respeita em nada.

O mesmo vale para um amigo folgado, um sogro intrometido... não fique alertando, rebatendo. Cão que ladra não morde.

Governo é governar a sua vida de tal forma que ninguém pedirá licença para governar a sua vida por você.

Quando eu comecei a aprender sobre pilotar avião, não é porque será mais barato eu mesmo fazer ou por nada do que muita gente imagina. Eu aprendi para poder governar, não para trabalhar.

Quem entende das coisas, governa e tem discernimento. Tudo o que você for fazer, não entre para ganhar dinheiro, entre para governar.

Quando eu entrei no ramo do loteamento, eu não sabia nada sobre e não tinha a intenção de ganhar dinheiro com isso, mas queria aprender. E hoje, junto com meus sócios, estamos escolhendo os empreendimentos que vamos tocar.

Quem quer só ganhar não governa. Quem joga na Mega-Sena não entendeu que é a própria loteria. Quem tenta algo não consegue. A sorte acompanha os governantes.

A única sorte que eu quero na vida é a sorte de bênçãos!

Governe a si

Como faz então para governar tudo? Governe só a sua mente, o seu intestino, a sua genitália, a sua boca e o seu coração. Se você fizer um desenho do corpo humano, verá que tudo isso está em linha reta.

Este é o seu painel de comando. Se você governar sobre ele não tem nenhum lugar em que você será governado por ninguém.

Quando você governa a si mesmo você governa o mundo!

Para você chegar a governar um palácio, como José do Egito governou, você não tem que esperar chegar lá, em uma oportunidade, para acontecer. Você tem que governar o palácio dentro de você, enquanto você é um escravo ou qualquer outro elemento daquele local.

Se você observar a história das pessoas que são governantes, elas não esperam a situação ou oportunidade para governar, elas governam elas mesmas.

José tinha que ter tido ódio dos irmãos dele, mas ele os abençoou, pois entendeu o propósito e foi para o trono do Egito. E independentemente se as figuras governantes estão dentro ou fora da Bíblia, saiba que elas já começaram a governar bem antes de estar aonde chegaram.

10 códigos
para vender muito mais

1 Descubra a alma do cliente. Todo mundo quer comprar, porém cada cliente tem um problema. Uma pessoa quer agilidade, mas você está enrolando. Já o outro tem dinheiro, mas ele precisa sanar todas as dúvidas do produto e você está sem paciência. Sendo assim, quando você descobre na alma dele o que está buscando, você sabe negociar da melhor forma.

2 Imagine uma pessoa com uma venda nos olhos. Jamais venda para ela dessa forma. O verdadeiro processo de vendas é tirar essa venda e fazê-la enxergar o benefício do que entregará.

3 O vendedor não tem que agradar todo mundo. Um bom vendedor não empurra coisas, não tira pedidos. O bom vendedor é aquele que leva lucidez para o comprador.

4 Quando o comprador experimenta um pouco do benefício e aprecia, as possibilidades de comprar são muito maiores.

5 Deus deu a terra, a semente, o sol e a água, mas Ele não planta. Essa ação deve ser sua! Ele não planta e nem colhe, porém te dá todo o restante.

6 Existem três tipos de ganho: o ganho de pessoas na entrada que chama-se compra; existe também o ganho pelo tempo de administração; e o terceiro ganho é quando você vende.

7 O segredo poderoso da venda é a geração de valor. Se a sua história for maior que o dinheiro do cliente, ele comprará.

8 Vendas está em todo lugar! Enviando seu currículo, você está se vendendo. Você já conquistou alguém? Já convenceu alguém a fazer algo por você? Tudo isso é vender!

9 Foque na dedicação, nos benefícios do produto e em ferramentas. E ame vender!

10 Primeiro gere valor e, depois, saque a venda!

Capítulo 12

O FUTURO DO MERCADO

Se você trabalhar na empresa de alguém, você tem que agir como se fosse o dono. Esclareço aqui que eu não sou contra o trabalho ou contra a profissão de alguém. Eu só penso que trabalho tem que ter prazo de validade.

Por falar nisso, é fato, não sou eu quem está dizendo, mas quase todas as profissões de hoje acabarão. Elas estão com delay. É igual a morte de uma estrela. Leva 200 anos para ela se apagar, ela morreu e você não viu.

Nos Estados Unidos, por exemplo, já tem algoritmo fazendo defesa de caso. A tecnologia e todos os seus desdobramentos se sobressairão em relação às profissões.

O ser humano precisa acelerar o resultado, e o algoritmo faz isso. Vou fazer um cálculo médio aqui. Se uma pessoa leva 15 anos para acabar com um processo, o algoritmo leva 15 segundos.

Se aparecer algo novo, é só reabrir o processo e não arrastá-lo. Vamos a um exemplo: você é investigado e o algoritmo levanta todas as informações sobre a sua vida e não encontra nada que o comprometa. É o princípio do Código Penal conhecido como in dubio proreo, termo em latim que pode ser entendido como na dúvida se favorece o réu.

Em um cenário como esse não será necessário pagar para várias pessoas acompanharem algo que será feito em pouquíssimo tempo por um algoritmo. Isso já existe e já começou a funcionar nos Estados Unidos.

Você pode se preparar, pois algumas profissões acabarão e não levarão o tempo da morte de uma estrela, vai ser algo em torno de uma década. Você pode ter se formado, estudado determinada área, ser a décima geração que trabalha em um ramo, mas, se você não entender o que estou falando, não compreender o que é a governança, você não vai prosperar.

AGORA É COM VOCÊ!

Vamos fazer uma brincadeira de passado, presente e futuro. Proponho aqui que você pense e escreva cinco profissões que existiam há 20 anos e que hoje não existem mais.

1. _____

2. _____

3. _____

4. _____

5. _____

Agora, quero que você pense e escreva cinco profissões que existem hoje e que não existiam há 20 anos.

1. _____

2. _____

3. _____

4. _____

5. _____

O que você queria ser quando crescesse?

Sabe aquela famosa pergunta que todos nós ouvimos na infância: o que você quer ser quando crescer? Pois bem, muita gente não é o que gostaria de ser. Acabou entrando em uma profissão por sugestão de alguém, influência familiar ou mesmo visando ganhar dinheiro trabalhando nela.

Dificilmente você encontrará alguém que foi fazer o que realmente queria, que é feliz com a sua escolha.

Meu filho, por exemplo, me disse outro dia que quer ser policial. Eu tenho a maior admiração pelo trabalho da polícia, sempre que uma viatura para ao lado no trânsito, eu abaixo o vidro e, junto com meus filhos, batemos continência a esses profissionais.

Em todas as vezes que cruzo com algum policial, eu o agradeço pela sua coragem em oferecer a sua vida pela minha e da minha família. Contudo, se ele der um tiro e matar um bandido, esse policial será preso. Se ele levar o tiro, o Estado não se responsabiliza e a família dele ficará sem nada.

Você acha que compensa entrar nessa área?

E outra coisa, hoje, os algoritmos estão ajudando até a efetuar prisões. Então, a polícia está no grupo de profissões que serão a cada dia mais impactadas pelos avanços tecnológicos. Ou seja, não vale a pena partir para essa carreira.

A título de informação, na minha casa, nunca aceitei que meus filhos brincassem de polícia e ladrão. Não aceito porque isso é sério. São coisas que entram erroneamente no sonho de uma criança.

ANOTE ESTE CÓDIGO:
No governo é proibido ser equilibrado.

Estabilidade não existe, mas, se você governar, o que você quiser pode ter

Outra coisa que não entendo é alguém que estudou por anos tendo em vista o objetivo de passar a vida toda como funcionário público. O funcionalismo público é um trabalho digno e deve ser respeitado, mas deve ser um trampolim, um lugar em que você aprenda a governar e desenvolva asas para voos maiores.

Aprenda uma coisa: estabilidade não existe. Se um país quebra de uma hora para outra você está na rua.

E mesmo que você tenha um salário de R$ 50 mil no funcionalismo público, você pode ir ao lugar que quiser na hora que você quiser? Se não for assim, você não governa.

Se você governa, por mais que você não tenha asas, você pode comprar. Se você quiser ser mais rápido que um guepardo, compre um carro que ultrapasse 120 km/h e dispute uma corrida com este animal.

Quem governa pode chegar aonde quiser!

O homem não tem asas no seu corpo, não carrega o pecado em si, o que ele fez? Construiu o avião. O homem queria explorar o fundo mar, nadar lado a lado com a baleia, ter mais uma arma na guerra, ele então inventou o submarino. O homem não podia sair da Terra, o que ele fez? Criou a espaçonave.

O homem governa o que ele quiser. Como? O homem governa nas três esferas: no corpo, na alma e no espírito.

> **Todos os dias você só tem um dia, uma nova chance. O que você tem feito com essa nova chance?**

Capítulo 13

Se você quer ver uma mudança acontecer, tem que propor esta mudança.

OS TRÊS PILARES DA GOVERNANÇA

Enfim vamos falar sobre os três pilares da governança. São eles: corpo, alma e espírito. Quem toma as rédeas dessas três esferas está a anos-luz na frente dos outros.

O seu espírito guia você na frequência, a sua alma nas emoções e seu corpo precisa desfrutar e governar sobre os seus sentimentos. Aliás, deixe-me fazer uma ressalva aqui: sentimento não é de alma, é químico. Emoção é de mente, é de energia.

Seu espírito guia a direção, sua alma governa todas as energias debaixo dos céus, e seu corpo obedece aos seus propósitos de desfrutar dessa Terra. Não abra mão disso.

Não se trata do que o seu corpo deseja. O que a sua alma quiser, o seu corpo terá que cumprir.

A bagagem que eu carrego

Já falei aqui que muitos dos meus amigos não acreditavam no que eu fazia. Alguns riam, chamavam-me de "o homem da prosperidade". Quando eu ainda trabalhava na Brasil Telecom, pesava 59 kg e chegava à empresa em uma bicicleta bem simples.

O ano era 2005 e eu já falava muitas das coisas que eu falo hoje. Já houve momentos em que eu chorei, afinal, porque eu estava pregando algo que eu ainda não vivia? Contudo, o meu coração me fez insistir no meu discurso.

Algo pode não ser verdade para você, porque você ainda não experimentou. Seu cérebro vai querer que você pare. Só que de tanto falar, este mesmo cérebro vai o olhar e dizer: será que você consegue?

Eu me lembro do tanto que eu treinava. E se hoje, quem me acompanha no Instagram sabe a quantidade de helicópteros que eu posto, é porque eu sempre fiz por onde.

Lá no começo da minha jornada, há quase dez anos, em todo lugar que ia, queria saber sobre os helicópteros. E os caras mais feras da internet que você possivelmente conhece tiravam sarro da minha cara e hoje me pedem o helicóptero emprestado. Eu digo não.

Quem quiser voar é só me pagar R$7 mil a hora. O jato custa R$ 45 mil a locação para quem quiser dar uma volta. Não empresto e ponto final.

Quero deixar um aviso para você: tudo o que falarem para você no percurso serve de energia. E infelizmente muita gente não sabe o que fazer com ela. Acumule toda essa energia para usar a seu favor. Quem governa ama vingança.

No entanto, vamos com calma: vingança significa dar frutos, não quer dizer oferecer coisas ruins para o outro. A vingança é mostrar o fruto para ela. Uma árvore que vinga é porque deu fruto.

Não tem nada mais poderoso do que dar fruto. A semente denuncia o fruto, ela não viu o fruto, mas nem por isso deixou de prosperar. Você é uma semente, coloque-se em uma terra boa e prospere.

Contudo, lembre-se de que, antes de dar o fruto, a semente passa por poucas e boas. Se você em algum momento desse movimento se sentir sufocado, saiba que está no caminho certo. É assim mesmo.

Depois disso germina, vira uma planta e passa a ser candidata a se tornar uma grande árvore. Mas a plantinha está ressabiada, afinal, ela, daquele tamanho e com uma certa fragilidade, pode ganhar a robustez de uma árvore?

Alguém olha para ela e fala: "Você vai dar 500 ou 1000 frutos por mês?". Ela se observa e pensa "como, se eu não tenho nem um ainda?". E a partir disso, os frutos podem ser replantados e podem nascer mais mil árvores.

Todo caroço de manga nasceu para entrar debaixo da terra, ser semeado e virar uma mangueira. Não aceite não fazer isso.

Você nasceu para multiplicar, transbordar e desfrutar. A propósito, desfrutar significa que você pode comer tudo o que você planta. Apenas dê um jeito de replantar para que seus frutos nunca acabem.

A sua vida só sai da terra se você der muito fruto.

Tem coisas na vida que são pura matemática. Você precisa malhar todos os dias? Não. Se você não comer e não precisar gastar energia, não precisa se exercitar.

Você quer morrer em paz? Não morra carregado, você está cheio de sementes dentro de si. Plante primeiro, pois, mesmo morto, você estará presente, afinal você germinou, prosperou e reproduziu. A única sorte que eu quero na vida é a sorte de bençãos!

AGORA É COM VOCÊ!

O que você vai deixar de legado quando morrer? Qual é o presente que você vai deixar na Terra? Qual é a inovação que você implantou? Tem coisas que Deus colocou só dentro de você e em mais ninguém na Terra inteira. Será que você sabe o que é?

_____
_____
_____
_____
_____
_____
_____
_____
_____
_____
_____

A ARTE DE NEGOCIAR | 101

Quem é você no mundo?

Talvez você ainda esteja se perguntando o que está construindo e deixará de legado. E se enquanto faz essa autoavaliação, não conseguiu chegar a uma conclusão é porque está lhe faltando ousadia até este momento da sua vida.

Se você viveu até agora de modo que o seu principal objetivo era não desagradar os seus pais, saiba que você está vivendo errado, ou melhor, está deixando de viver.

Nossos pais muitas vezes não priorizam o nosso bem-estar acima de tudo. Em boa parte dos lares o propósito do pai e da mãe era criar os filhos de modo que eles não os fizessem passar vergonha mediante seus vizinhos, familiares e amigos.

Essa era a prioridade e não a sua felicidade e bem-estar. Mas a sorte é que estamos evoluindo enquanto geração e hoje, pensando nos meus filhos, não permito que eles se curvem a ninguém que venha a visitar a minha casa.

Eu prefiro ser visto como idiota, mas não vou reprimi-los, corrigi-los na frente de outras pessoas ou tentar interferir no comportamento deles por receio do que os outros vão achar.

Eles me fazem passar vergonha na frente de outras pessoas? Sim. Mas eu retribuo o constrangimento e muitas situações se tornam até divertidas. Aja com sabedoria!

Governo do céu

Você deve governar tudo o que é três. E se você é uma pessoa que governa nessa Terra, você tem que saber que você pode governar o céu mesmo não estando lá. Tudo no céu é pleno, mas nem tudo está funcionando lá.

Anota esse código que quem disse não fui eu:

Em Mateus 18:18, Jesus disse que tudo que a Igreja "ligasse" ou "desligasse" na Terra, o mesmo se daria no Céu.

Você acha que as coisas que existem são só as que os seus olhos estão vendo. Você não entende. Seus olhos não são capazes de enxergar a curva. Com a mente e o coração alinhados você faz o que quiser.

Porém sua mente está perturbada e o seu coração está preocupado. Por isso você não governa.

Seja irresponsável

Muitas vezes meu pai, minha mãe e até minha esposa me falam que sou irresponsável. E eu pergunto o porquê e me respondem que eu não posso pensar de determinado jeito.

Eu, então, rebato listando todas as vezes em que eu pensei de outra maneira. Cito quando eu mudei de carreira, quando eu deixei o trabalho na Brasil Telecom no momento em que eu estive prestes a me tornar presidente e sentar na cadeira mais poderosa daquele lugar, e por aí vai.

Eu menciono essas viradas que foram decisivas para que eu chegasse onde estou hoje e que na hora, lá atrás, essas mesmas pessoas me chamaram de irresponsável.

Quando eu me lembro das sequências de irresponsabilidades da minha vida eu só tenho mais certeza do que vou lhe dizer: se você não for irresponsável você não vai viver o melhor da vida.

Depois que você prosperar, você vai em busca de segurança. Hoje, por exemplo, eu gasto em torno de R$100 mil por mês com segurança, incluindo proteção cibernética, patrimonial, pessoal e outras.

Onde tem riqueza você precisará investir em segurança. Enquanto você é pobre não há necessidade de tanta segurança. E esse alerta serve para você refletir, pois se você está buscando segurança, saiba que você ainda não precisa dela. Foque sua energia e dedicação em outros lugares.

Você precisa ser irresponsável. E precisa ser competente, que é quando você se compromete a fazer algo, e então deve cumprir.

O que quer dizer ser irresponsável então? Quando o seu coração quiser fugir de uma rota, obedeça-lhe. Pode parecer uma loucura, o outro caminho parecia mais agradável, mais seguro. Mas lá na frente você vai ver que não fazia sentido.

Se você veio buscar conforto neste livro, sinto te decepcionar, mas eu não estou aqui para diminuir a velocidade.

ANOTA ESTE CÓDIGO:
Se tiver tudo sob controle, você está indo devagar demais.

Cuide do seu hardware

Para começar a se governar, olhe para si, neste caso, estou me referindo ao sentido literal. Veja no espelho se você está em paz com o seu peso e forma física, por exemplo. Se a resposta for não, comece por aí.

Antes de perder 10kg em pouco mais de 30 dias, eu tinha muitas desculpas, e elas me eram muito agradáveis, deixavam-me dentro de um ambiente de conforto. Eu mentia para mim mesmo e acreditava nessas mentiras.

Quando você dá um basta e passa a lidar com a verdade, a história mentirosa perde o sentido.

Eu costumo dizer que o seu corpo é o seu hardware. E que assim como você deve zelar por um computador valioso, você deve ser impecável com o seu físico. Deve transformá-lo em uma máquina.

Seu software é a sua mente, e os drives são os elementos que unem corpo e mente.

AGORA É COM VOCÊ!

Vou ajudá-lo a cuidar do seu hardware e do seu software. Começando hoje, não sei qual é o horário em que você está lendo este livro, se você se exercitou, nem sei o que você comeu hoje. Mas qual é a sua próxima refeição? Será que ela é saudável? Ela poderia ser melhor? Qual é o seu próximo tempo livre - e aqui não estou falando de uma tarde inteira - mas de 10 minutos que sejam. Você pode dar uma caminhada na rua, fazer um alongamento e até um treino leve em casa mesmo. Pesquise um exercício que você consiga fazer no espaço ou com os equipamentos que você tem. Como está a sua hidratação? Beba água. A partir daí registre nas linhas abaixo o que você fez ou fará hoje em prol da sua saúde e forma física.

_____
_____
_____
_____
_____
_____
_____
_____
_____

Quando você é o otário

Em uma relação conjugal em que apenas uma pessoa segura a bronca de tudo e a outra é encostada, quem você considera que seja o otário da relação? Aquele que faz tudo pelo outro.

Esse exemplo se aplica a filhos que dividem ou deveriam dividir o cuidado com os pais, de pais que sobrecarregam mães com o cuidado dos filhos que ainda são crianças, além de outras situações.

Mas como sair deste ciclo se você é o "otário" da relação, ou seja, carrega o piano nas costas sozinho? Não existe meio-termo, se você quer ver uma mudança acontecer você tem que propor essa mudança. Chame o seu parceiro ou o seu familiar para uma conversa franca e crie consciência nesta pessoa.

Mas cuidado, não se trata de querer mudar uma pessoa, mas sim criar consciência.

Uma dinâmica prática para isso é, no caso de uma relação conjugal na qual a mulher está se queixando do marido, que está encostado, é propor uma troca de sapatos. A mulher calça o sapato dele, que normalmente tem a numeração maior que o pé dela, e diz ao marido para ele calçar um salto fino dela.

A esposa, então, deve propor este desafio por uma hora. A mágica vai acontecer. O cérebro dele vai entrar em pânico. E nessa hora a mulher reforça que isso que ela propõe é a metáfora da troca de papéis que está acontecendo na relação e que ela não vai mais aceitar.

> **Tenha pensamentos mais fortes do que qualquer desejo. Isso é autogoverno.**

AGORA É COM VOCÊ!

Você está se sentindo otário e sobrecarregado em alguma relação? Para que você tome uma atitude e crie consciência em uma outra pessoa - pode ser que em alguns casos vai ser em mais de uma -, liste abaixo três coisas que você não vai mais fazer ou aceitar nesta nova dinâmica da relação.

1. _____

2. _____

3. _____

Aprimorando o relacionamento

E antes de eu me casar com a Carol, nós costumávamos nos sentar um de costas para o outro e escrever algumas coisas que vou deixar aqui como sugestão para que você faça com o seu parceiro.

Essa atividade, que fiz muitas vezes, colaborou para que o meu casamento fosse o que é hoje. A partir de algo simples como este você exercita seu poder de gestão, de feedback, enfim, você só tem a ganhar.

Convide o seu parceiro, dê um papel a ele e peça para que ele também responda a essas mesmas questões em relação a você.

O que você gosta em mim?

_____

_____

O que você não gosta em mim?

_____

_____

O que você melhoraria em mim?

_____

_____

O que você gostaria que eu fizesse mais?

_____

_____

O que você gostaria que eu fizesse menos?

_____

_____

AGORA É COM VOCÊ!

Complemente a dinâmica e inclua mais perguntas, o que você gostaria de responder sobre o seu parceiro e que ele respondesse sobre você?

10 códigos
para negociar melhor e prosperar

1 Se o cliente não gostar dos benefícios do seu produto, não perca tempo. Busque o cliente que enxergue o valor. Escolha as pessoas para quem venderá.

2 Faça uma lista de principais objeções sobre o seu produto ou serviço. Quais são as negações para a compra? Esteja preparado para contornar essas objeções.

3 Não existe venda perdida, cliente inacessível e produto ruim. A objeção garante a venda. Quando você descobre a objeção, você soluciona. Objeção é ouro!

4 Se você falar bem, convencerá a pessoa. E se a pessoa confiar, ela comprará. Confiar é igual a comprar.

5 Ninguém quer comprar seu produto ou serviço. O cliente quer ser beneficiado. Ele deve sentir que o benefício gerado tem mais valor que o dinheiro dele.

6 Prosperar não é dinheiro, não é ter fama e nem ser bem-sucedido. Prosperar é não interromper a semente. E não basta ter apenas a semente, é preciso preparar a terra que irá recebê-la.

7 Você não quer prosperar? Então, ande com pessoas que não aceitam a prosperidade. Cole em pessoas que já prosperam. É magnético!

8 Não plante sempre as mesmas sementes. Para acelerar o processo, invista em sementes variadas e diferentes terras.

9 Quer acessar a riqueza? Sempre coloque o dinheiro em segundo plano, e nunca em primeiro.

10 O primeiro ano de qualquer coisa sempre dá prejuízo. É preciso cultivar a terra para poder colher. No começo tudo é ruim, mas seja resiliente!

Capítulo 14

VOCÊ NO COMANDO

Uma pessoa adulta, que têm uma condição cognitiva saudável, não se pode deixar governar por ninguém, nem que sejam os seus pais ou seu cônjuge. Portanto, não hesite em bater de frente se algum familiar ou outra pessoa quiser assumir o governo da sua vida.

Eu, Pablo, já tive que colocar o meu pai no seu devido lugar por ele tentar governar a minha vida depois que eu já era um homem casado. Perceba que curioso, ele me ensinou o que era ser um homem que tomava as rédeas da própria vida, e em determinado momento estava ele tentando assumir a minha.

Eu não tinha outra opção a não ser ter muita franqueza e ser objetivo com ele, afinal, foi ele que me ensinou a ser assim.

Mas depois deste episódio ele nunca mais tentou governar a minha vida. Nós nos respeitamos, porém a transição, na qual o governo da minha vida saiu das mãos deles e se tornou minha responsabilidade, não foi fácil.

E se você está nesta situação, em uma relação que chega a beirar a abusividade com os seus pais, tenha coragem e retome o governo da sua vida.

> Culpa e condenação são males que podem matar.

O que é pior que a morte?

Se eu lhe pedir para pensar na pior coisa que tem na vida ou nas três piores, é bem possível que a morte esteja entre elas. Seja a sua ou a de um ente querido, pensar na partida costuma nos causar sentimentos ruins.

Mas cá entre nós, para mim, a culpa e a condenação são as piores coisas da vida, mais pesados até do que a morte. Até porque, quando você morre, esses dois sentimentos não estão mais presentes.

Quando eu digo "seja um sem vergonha que anda por princípio" é disso que estou falando. Não carregue culpa, pois o único interessado na culpa que você carrega é o diabo. A única forma de ele patrocinar você é o vendo com culpa, condenação e vitimização.

Não quebre os princípios, quebre as regras e não tenha vergonha de nada do que você fez ou está fazendo. Se você sente vergonha, cria um escudo emocional.

O que precisa ficar entendido aqui é que não é sobre você, e sim sobre Ele em você. O que torna uma pessoa digna não é o que ela fez, mas o que Ele fez por ela.

Se você é um sem-vergonha, não interessa, o que conta aqui é quem Ele é em você. O dia em que eu descobri que Deus não volta atrás com o dom que Ele dá devido a algum mau comportamento, eu fiquei chocado.

Deus não é um moleque que volta atrás no que faz.

Eu já me senti muito mal por causa de culpa, de condenação na minha cabeça. Quando isso saiu de dentro de mim foi como se um foguete da Nasa tivesse partido prosperando sem parar.

Culpa e condenação são males que podem matar.

Se arrependimentos matassem...

Você já pagou por algo que no segundo seguinte se arrependeu? Pois bem, uma vez, há alguns anos, paguei R$ 80 mil por uma mentoria. Oitenta mil reais! Fiquei os três dias seguintes no mais puro arrependimento.

Mas, algum tempo depois eu fiz dezenas de milhões de reais por causa desta mentoria. Eu só me sentei com bilionários, e hoje, sou o que sou por causa deste tipo de ousadia que tive no passado.

Quando você está disposto a fazer algo, não é pela fórmula mágica que você vai pegar, mas é pelo marco na sua vida, pelo ato simbólico, é o combustível para a próxima fase.

Considere este livro não um ponto de partida para uma mudança de vida, mas sim um galão de combustível para a próxima fase.

Acredite, existe uma próxima fase o aguardando. Por isso, não desperdice o galão de gasolina pelo caminho. Lembre-se: tudo o que você não usa a natureza usa, portanto, se o galão ficar aberto o sol vai evaporá-lo e fim de papo.

Se você está tomando uma decisão, lembre-se de que é preciso ter paciência.

> A palavra arrependimento é conhecida pela grande maioria como "voltar atrás".
> No entanto, o verdadeiro sentido da palavra arrependimento é metanoia, a qual significa mudança de rota. O negócio está dando errado? METANOIA: MUDANÇA DE ROTA!
> Qualquer coisa é boa, depende o que você faz com o que fizeram com você.

DEUS, DAI-ME PACIÊNCIA

Se você quer mais paciência, não peça a Deus, pois Ele enviará a você pessoas chatas e situações estressantes para testar a sua paciência.

Quando você pede sabedoria, ele traz pessoas problemáticas para você resolver o problema dela.

Portanto, cuidado com o que você está pedindo.

DINHEIRO E RELIGIÃO

Falar de religião e de mundo corporativo no mesmo balaio nunca foi bem aceito por muitas pessoas. Muita gente não quer saber da Bíblia, quer saber o que deve fazer para ganhar dinheiro. Não adianta tentar empurrar um conteúdo goela abaixo. A minha vida mudou no dia em que eu descobri como fazer as pessoas implorarem pelo que eu tinha a dizer.

INCENTIVE, MAS COM CAUTELA

Sabe aquela pessoa que parece estar precisando de um empurrãozinho, de um incentivo? Pois bem, seja a maior incentivadora dela, mas cuidado para não sufocá-la. Não queira governar a vida dela. Dê espaço para que ela possa respirar e escolher o que quer para a sua vida.

HORA DA MORTE

A morte é uma transição, é a hora que o vapor acaba. Digamos que o seu espírito é uma estrada, a sua alma é um piloto de corrida e o carro é o corpo. A hora da morte é quando a federação de automobilismo fala para o seu carro sair da pista. A partir do momento em que você saiu, não está mais na corrida.

> Perguntas descobrem os motivos. Todo mundo quer comprar. Entenda as necessidades e leve as soluções.

FAÇA PARA APRENDER

Se você faz um negócio que não vende, você aprende, e quem aprende não depende. Se você fez algo que não vendeu e você está se sentindo a pior pessoa do mundo, continue até aprender.

NEGOCIAÇÃO

Para dominar a arte de negociar e também a sua existência como um todo, é importante saber que existem três fases da vida que devem ser consideradas: O que você governa? O que você domina? O que você multiplica? Quando você tem consciência de cada papel, boa parte do caminho está andado.

PABLO POR PABLO

Eu gosto de acordar de madrugada e começar a servir, abro as lives e vejo as pessoas "surtando" no vídeo. É muito divertido. Não vejo esse momento como uma produção, está fluindo, já está no meu interior. Já no meu curso CDR (Ciência da Riqueza) é uma proposta diferente, eu dou aula, mas não é algo que pesa para mim. Eu durmo depois do almoço e minha vida segue muito bem assim.

10 códigos
para aumentar a sua frequência

1 Pare com a crença limitante de "O não eu já tenho". Você é o sim que as pessoas procuram.

2 Você tem um campo de energia que pode afetar pessoas a 7 metros de distância. Qual é a energia que você está liberando? Você passa luz para as pessoas ou suga os ambientes?

3 Comece a desconectar a frequência do passado e sintonize na frequência do agora. Se não fizer isso, você não estará presente no hoje.

4 Pare de assistir televisão. Sintonize na frequência do estudo e do conhecimento.

5 Tudo que você coloca como prioridade no seu cérebro, abre uma área de percepção e ele começará atrair isso. É a Lei da Atração, uma das mais poderosas no universo.

6 A sua mente faz a emissão da frequência. O que você quer sintonizar a partir de hoje? Mentalize isso e atraia o que desejar.

7 Quando você acorda muito cedo, antes das 5h00, a frequência está limpa. Isso porque existem menos pessoas reclamando naquele horário. Aproveite para aumentar a sua produtividade.

8 Quando você acorda antes do Sol nascer, seus pensamentos já ficarão diferentes: mais positivos e tranquilos. Além disso, seu foco é total para fazer tudo funcionar.

9 Caro é uma vida de ignorância. Aquilo que você não faz e precisa ser feito hoje. Busque recursos para aumentar a sua frequência.

10 Chega de desculpas! É tudo sobre você, e não sobre o que aconteceu com você.

Capítulo 15

MUDANÇA DE FREQUÊNCIA

O passado é uma biblioteca, e o livro é o seu travesseiro com o qual você dorme todos os dias. Imagine a cena, você dormindo com a cabeça sobre um livro de capa dura que traz as coisas do seu passado e que o assombram. Total desconforto.

Por isso, é essencial mudar a frequência. Se você pensa que não é bom em vender, vai seguir assim. Tenha o seguinte movimento a partir de agora: mentalize que você não era bom e que hoje começou a melhorar.

Pegue esse código. O que é uma casa? Uma casa é um imóvel, uma construção de tijolo e cimento. O que é um lar? É onde moram pessoas, onde tem sentimentos, vida. E o que seria uma morada? É um passo a mais, é onde Deus está tocando, é o lugar mais precioso do mundo. Não há palácios que superem a sua morada.

Mude a frequência. Faça o que tem que ser feito. Você acha que é fácil acordar todo dia às 4h30 e pensar que vou alcançar menos pessoas do que gostaria? Mas eu levanto e faço para Deus.

E tomar banho frio? Seja no clima do inverno europeu, em meio a um resfriado, ou em qualquer outra situação que se apresenta desfavorável, eu decidi que iria tomar banho frio e assim fiz sempre.

Incomoda-me e preocupa ver quem tem o hardware de última geração e o software da idade média. É uma metáfora que pode ser melhor entendida no contexto de um Macbook air, que custa em torno de R$60 mil e que recebeu a instalação de um Windows 95.

O segredo está no software, na sua mentalidade. Mas não troque o seu antigo para o mais recente de uma vez, vá ajustando gradativamente. Movimentos bruscos são muito perigosos. Não existe devagar que não chegue ao fim. Vá de glória em glória.

Qual é a arte de negociar e crescer na vida? A resposta é ter novas dores, novas pessoas e novos desafios. O resultado cura.

Conteúdo bônus

COMO SE LIVRAR DE UMA MENTALIDADE MEDÍOCRE

A sua mente tem o poder de levá-lo aos sonhos que sempre desejou. Contudo, para isso, você deve exterminar todos os bloqueios emocionais que possui. Ative a sua real identidade, dê vida ao seu propósito e acesse a riqueza em abundância.

Capítulo 16

SEJA VOCÊ

O primeiro passo para abandonar uma mentalidade miserável é identificar os pontos de sangramento que existem em você. Por onde você está deixando vazar energia? Nas próximas páginas, vamos identificar os drenos por onde escapam ar, suor e gordura. Esse processo começa lá atrás, com seus pais, na escola, na vida social, e segue por toda a vida. Depois de identificar os entraves, será hora de partir para a ação. Algumas dicas práticas e certeiras podem fazê-lo assumir o controle da sua mente e mudar os rumos da sua vida.

Ao jogarmos água em um explosivo, ele é neutralizado. Pode ser uma bomba ou até mesmo uma dinamite. Jogue água e eles serão inutilizados. A mentalidade equivocada é quando você permite que alguém neutralize a sua potência. Fomos programados para receber comandos. Essa é uma afirmação difícil de ler, porém é a mais pura verdade. Movidos por comandos, temos nossas potencialidades limitadas. O caminho para reverter esse cenário é mais simples do que parece. Não precisa inventar moda. Não precisa aprender tantas coisas. A maioria de vocês não precisa compreender quase nada. Você precisa fazer o que já sabe. Para prosperar, é necessário fazer.

Para sair da inércia e partir para a ação, você precisa parar de dar desculpas. Desculpas anulam ações, anulam novas histórias. As desculpas são responsáveis pelo carro que você não anda, a casa que você não tem e a cabeça que deveria ter e não carrega. O Senhor é um Deus de novidade. Ele te fez para viver coisas novas. E para viver coisas novas tem que parar de dar desculpas.

Caso contrário, você permanece no vale a pena ver de novo. Você não terá dinheiro para produzir novas histórias, avançar, viajar, estudar e acessar lugares. A quantidade de desculpas que já contou é o resultado do que você tem hoje.

Observe a mentalidade do americano. Ele fala: "Vou fazer o meu melhor". E o brasileiro? Ele diz: "Eu farei o possível". Você acredita que isso muda tudo? Dar o melhor é a certeza de que a pessoa vai fazer, porque ela não para por causa do obstáculo. Fazer o possível é parar no obstáculo. É criar uma desculpa qualquer para justificar o abandono da ação. Choveu? Use o guarda-chuva. Alagou? Vá a nado. Esqueça desculpas do tipo: sou pobre, sou ruim como meu pai, sou desastrado como minha mãe, não darei certo igual ao meu avô, sou feito todo brasileiro que não vai prosperar. Pare de loucura! Você é imagem e semelhança do Criador.

Um dos maiores segredos da vida é a conexão com a verdade. E a desculpa é a entrada para a mentira. Jesus Cristo já anunciou: "Eu sou o caminho, a verdade e a vida. Ninguém vem ao Pai, a não ser por mim". Como andar com a verdade inventando desculpas para você mesmo e para os outros? O que fazer para mudar sua realidade agora? Você consegue ser um pouquinho mais forte do que a sua pior desculpa? Tenho certeza de que você consegue. Escreve aí: eu vou crescer, vou romper, vou prosperar. Vamos juntos!

Nada de ser mediano

Cada pessoa tem um estilo e o seu não é próprio. Eu quero te contar isso. O que é ser imbecil nessa geração? É parecer com os outros em vez de ser você mesmo. Essa é a afirmação mais dolorida que você lerá aqui. O plano de idiotice na Terra é querer parecer com o Pablo ou com qualquer outra pessoa. Temos uma tendência a querer parecer com as melhores pessoas. Vou ensiná-lo a abandonar essa mentalidade mediana. Como sei que sua mentalidade é mediana? Se não fosse, eu conheceria você. Vou repetir, tenho certeza de que você está numa frequência mediana e está se comportando como mediano, porque, se não estivesse, eu já saberia quem você é. Então, como faço para ter relevância? Você já tem, só não sabe disso. As pessoas perguntam muito sobre como gerar valor, como ficar famoso. É muito simples, deixe as pessoas descobrirem você. Pode até ser que tenha pouca coisa aí, mas o pouco que tem já é essencial para essa geração. Qual é a diferença entre você e pessoas que já conquistaram prosperidade em suas vidas? Não existe diferença de relevância entre vocês. O que existe é um branding muito forte. As pessoas de sucesso fazem muito ou estão associadas a pessoas que fazem. Então, é simples assim? Basta fazer? Sim! O que separa você das pessoas prósperas é a distância de uma, duas ou três décadas de dedicação a um determinado projeto. Apenas isso.

FUJA DA MENTALIDADE MEDIANA

Não queira parecer com os outros. Deseje parecer com Deus.

Não existe diferença de relevância entre nós, e sim um branding muito forte, alguém que seja associado com pessoas muito mais fortes.

As novas etapas do seu propósito estão em pessoas que você ainda não se conectou.

Deixe as pessoas descobrirem você. O pouco que você tem pode ser essencial para a nossa geração.

Capítulo 17

IDENTIDADES

Existem cinco tipos de identidade e cada pessoa carrega todas elas:

1ª IDENTIDADE: é a que Deus te deu

Ele já disse quem você é. Se Deus disse, não há espaço para dúvidas. Basta aceitar. Descubra na plenitude o que é e aceita. Você não é nada do que as pessoas falam, e sim só é uma coisa: sua identidade. Você não é empresário, não é médico. Você está. Contudo, então, alguém diz: "Vou deixar de ser advogado?". Você não é advogado, você está advogado. É simples. Ninguém é um cargo, você está nesse cargo. Veja como isso faz sentido. Vamos supor que você seja um pastor e, certo dia, faça alguma bobagem. Logo, será afastado da igreja e, por conta disso, deixará de ser você? Não, você deixará de ser pastor, mas continuará sendo você. A pessoa pode ser demitida ou pode ser excluída do Conselho de Medicina, por exemplo. Aquela pessoa nunca foi o gerente ou o médico. Ela estava nessas posições. Esse estado, ou seja, esse status é passageiro. Então, pare de viver como se fosse a função que você exerce. Essa nao é a sua Identidade. Identidade número um: aceitar o que Deus falou. Deus falou que você é a imagem e semelhança Dele. Essa é característica dessa identidade.

2ª IDENTIDADE: é a que seus pais atribuíram a você

Seus pais o definem de alguma forma. Geralmente, eles direcionam o filho para estudar e trabalhar. Por conta da Revolução Industrial, eles o preparam para ser um bom profissional. Por quê? Para você ter um trabalho e não dar trabalho a eles. A causa de 80% dos bloqueios dos filhos é proveniente do pai, da mãe ou de ambos. Esses bloqueios são causados pelas inseguranças dos pais. O que você precisa fazer? Na primeira identidade, você precisa aceitar. Na segunda, precisa ressignificar. Ressignificação resolve o problema da identidade que seus pais imputaram a você.

3ª IDENTIDADE: é a proveniente do país em que nasceu

O governo do seu país irá enxergá-lo como um soldado pronto para servir na guerra. Você tem cara de soldado para sua nação e tem a função de defender a pátria. O governo não enxerga em você um gerador de renda. E, se o fizer, estará de olho nos impostos que pagará. Então, temos que ficar contra a nação? A verdadeira nação é o reino. O Brasil é só um barco. Se Deus falou que nós vamos liderar sobre as nações, você tem que aprender que seu país é um bairro. Então, a terceira identidade é a cultural. É a identidade do Brasil. Pegue dela apenas o que faz sentido para você. Corte o "jeitinho brasileiro", elimine o hábito do atraso. Você não precisa carregar essas características. Selecione apenas o que for bom.

4ª IDENTIDADE: é a forma como eu me vejo

Ao conseguir equalizar a maneira como você se enxerga com a forma como Deus te vê, você tocará o terror na Terra. Quando amadurecer, você ressignificará muita coisa daquilo que considera cultural e daquilo que seus pais o ensinaram. Para conhecer o propósito, é preciso se conhecer. Não tem propósito sem identidade. Se não tiver clareza da sua identidade, não descobrirá o seu propósito. É preciso ativar a identidade. Ninguém criará ou inventará uma. Vai apenas ativar o que já existe. E, para conhecer identidade e propósito, é preciso identificar os bloqueios. Os bloqueios ficam no meio do caminho entre uma ponta e outra. Os bloqueios não deixam você se enxergar de verdade e não deixam saber o que tem de fazer. Se essa geração destravar a identidade, será a geração mais espetacular da Terra.

5ª IDENTIDADE: é a forma como as pessoas te veem

Acredite, você foi doutrinado para se importar mais com essa identidade. Isso é muito prejudicial. A dica que dou é: aceite o que Deus falou, ressignifique o que seus pais imputaram, trate seu país como um bairro (as nações ficam abaixo do reino), mude a forma como se enxerga e não se preocupe com a opinião dos outros. Quando você der resultado, todas elas serão obrigadas a aceitá-lo.

AGORA É COM VOCÊ!

Após entender os conceitos de identidade,
liste três características de cada identidade sua.
Seja sincero, reflita e pontue.

PRIMEIRA IDENTIDADE:

1. _____

2. _____

3. _____

SEGUNDA IDENTIDADE:

1. _____

2. _____

3. _____

TERCEIRA IDENTIDADE:

1. _____
2. _____
3. _____

QUARTA IDENTIDADE:

1. _____
2. _____
3. _____

QUINTA IDENTIDADE:

1. _____
2. _____
3. _____

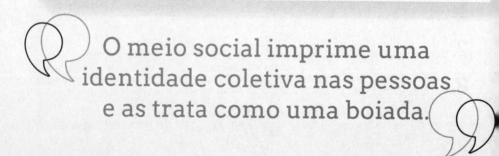

O meio social imprime uma identidade coletiva nas pessoas e as trata como uma boiada.

Acredite em seu potencial

Você é programado para pensar em pessoas importantes, mas nunca para ser essa pessoa. Esse é o maior desperdício dessa geração. Eu moro em um condomínio onde vivem algumas das famílias de maior relevância do país. As famílias do Silvio Santos e de outros artistas, de banqueiros e de empresários da aviação estão entre elas. Andando por lá, vi que alguns desses caras importantes cuidam do próprio jardim. Decidi cuidar do jardim da minha casa também. Além de me espelhar neles, refleti que Deus deu o Jardim do Éden para Adão, mas ele não cuidou. Foi caçar outra coisa para fazer e todos sabemos no que deu. Dedicar tempo a essa atividade tornou-se em simbolismo para mim. Esse será um símbolo de que eu tenho de cuidar dos meus filhos, da minha esposa, dos meus negócios. Essa é uma expressão idiomática para o meu cérebro entender que vou cair para dentro e que tenho de ter tempo para minha casa.

É necessário buscar inspiração nos melhores e maiores exemplos e almejar estar entre os grandes para conseguir prosperar tanto ou mais do que aqueles que o inspiraram. Não é imitação, é inspiração. Você também não pode "afinar" para ninguém. Quando chego perto de alguém bem mais importante que eu, fecho os olhos e imagino o meu crânio e o da pessoa baterem no chão. Fui à casa do Flávio Augusto, empresário e fundador da Wise Up, uma pessoa que admiro muito. A primeira coisa que fiz ao chegar lá, foi imaginar as nossas cabeças batendo no meio-fio. Elas racharam, morremos e pensei: somos iguais agora. Conversamos como amigos. Ele só tinha uma hora em sua agenda para o nosso encontro, mas passou quatro horas comigo.

Identifique o seu propósito

Cada pessoa tem uma personalidade, um temperamento, uma história e todas as coisas que são próprias dela. Fora que ela parece uma parte de Deus. As pessoas julgam conhecer a Deus em profundidade, mas eu posso falar: "É mentira". Para conhecer a Deus em profundidade, é preciso conhecer tudo o que Ele fez. Porque tudo o que Ele fez resplandece quem Ele é. Estava na África e olhei para aquelas pessoas e pensei: "Que parte é essa que não conheço de Deus?". Ao olhar para aqueles irmãos, percebi que não sabia sobre essa parte de Deus. Eu não conhecia aquela mentalidade, aquele povo, aquela cultura que reflete um poder diferente, uma autoridade diferente, uma forma de Deus diferente. Conhecer a obra de Deus e conhecer a si mesmo é o caminho para assumir o controle do que você quer fazer aqui na Terra.

Você é um ser dividido em três: tem um corpo, uma alma e um espírito. Seu corpo é o carro. A sua alma é o piloto. E seu espírito é a estrada. Cuide bem do seu corpo com uma alimentação saudável, uma respiração prolongada, não se preocupando em demasia, amando e, principalmente, fazendo exercício físico. A sua alma também precisa de amor, além de sabedoria, de domínio e de paz. Já o seu espírito precisa de relacionamento, consciência limpa e tranquila, e, principalmente, uma direção. De que forma essas partes se conectam? O piloto (alma) domina sua mente, suas vontades e suas emoções. Pegue esse carro (corpo), afunde o pé no acelerador e vá em direção à estrada (espírito). Existe essa destinação para você.

Alinhe os seus objetivos

Quando eu trabalhava na Brasil Telecom, tinha uma única pretensão: subir mais três degraus e me tornar presidente da empresa com um salário de R$ 250 mil reais por mês. Eu não tinha outro objetivo na vida. Não tinha outra chance. Não estava nem aí para outra coisa na Terra. Até que meu filho estava prestes a nascer e eu trabalhava em um ritmo alucinante, respondia mensagem até de madrugada, era um executivo com mil e cem funcionários. Decidi que não queria criar meu filho em meio a essa loucura. Deixei a empresa poucos dias antes de o meu primogênito nascer e nunca olhei para trás. Era um sonho ser presidente da Brasil Telecom e ganhar R$ 250 mil por mês – um dos maiores que já tive na vida. Eu falo bem humildemente: não sei nada sobre mim. Não se impressione com cifra alguma. Se uma empresa consegue pagar R$ 250 mil de salário, é porque você vale milhões por mês.

Minha chefe desistiu da maternidade devido à empresa. Será que R$ 200 mil de bônus valem mais do que a descendência dela? Se tirássemos de cena a revolução industrial, o feminismo e o marxismo, todo mundo teria prazer em cuidar da casa e dos filhos. No entanto, esses conceitos desmoralizam o sexo masculino e colocam a mulher para competir com ele. Não tem como competir. Biologicamente o homem sempre será mais forte. Deus não criou as mulheres para competir com os homens. Para isso, a mulher teria que aprender a ficar mais burra, porque Deus deu uma porção maior de inteligência para elas. A mulher foi programada pela chamada revolução industrial e pelo feminismo para querer liberdade. Mas qual liberdade? A liberdade de ser escrava e trabalhar para os outros.

Mulheres, se vocês puderem investir em seus filhos, esses garotos serão homens de verdade. Eles serão reis e patriarcas para que suas mulheres nunca precisem se sujeitar a nada. O que um homem mais tem que desejar é um poder que ele transfere para a mulher, um cartão preto de plástico, aquele com o limite de crédito nas alturas. Contudo, atualmente, existe competição entre o casal. Vamos ver quem trabalha mais para ninguém cuidar dos filhos. É admirável uma mulher dessa geração suportar o fardo de ser mãe e de apoiar seu marido para ele prosperar. E se ela quiser produzir, vá escrever um livro, pintar um quadro. Ela pode fazer tudo, inclusive trabalhar. Mas é impossível uma mãe com três filhos criar três generais de guerra sendo funcionária 12 horas por dia. Ela quer empreender? Empreenda três moleques na Terra que serão todos multimilionários!

Para mim, o maior empreendimento que existe é a família. E os dois sócios responsáveis por ela colocam tudo a perder. Deixam de investir na família para trabalhar para os outros. Eu sei o que é ficar preso a dinheiro. Contudo, me libertei dessa prisão há mais de uma década. Quem é escravo do dinheiro perde as maiores conexões, as melhores ideias, deixa de ter as maiores ações e não experimenta resultados maiores. Todas as pessoas com quem eu queria estar junto e tinham problema com dinheiro, eu soltei no mar. Elas não ficam no meu barco.

AGORA É COM VOCÊ!

Abaixo, defina qual é o seu propósito de vida hoje.

Como estão seus objetivos para cumprir tal propósito?
O que precisa ser aperfeiçoado?

10 códigos para ser fora de série

1 Se os seus amigos são os mesmos da infância, as chances de você ser um menino até hoje são enormes. Faça novas conexões para prosperar.

2 Quando você se comporta como todo mundo, a sua mentalidade é rasa. Fuja do efeito manada!

3 A raiz da mentalidade mediana é o vitimismo. O vitimista sempre arrumará desculpa para tudo. Não seja um deles!

4 Todo mundo quer ter uma babá. Se deseja algo, faça você mesmo!

5 Tudo que você passou na sua vida são ferramentas. Você foi humilhado? Essa é a melhor ferramenta para aguentar os trancos da vida.

6 Enquanto você der chances para as pessoas controlarem as suas ações, você não consegue realizar o seu propósito nesta Terra.

7 Seja pior do que qualquer pessoa possa imaginar. Isso é libertador! Esse drive mental é você tirar as expectativas das pessoas a seu respeito.

8 A pessoa que se julga calma, sempre sendo ponderada o tempo inteiro, é fraca! Pegue essa cólera que há dentro de você e coloque nas coisas certas!

9 Se Deus não controlou Jesus aqui na Terra, por que Ele controlaria qualquer outra pessoa? Então, não dê o controle de sua vida para outra pessoa.

10 O inseguro e o invejo sempre vão querer te controlar. Não permita!

Capítulo 18

O problema das pessoas medianas é querer ganhar o pronto.

ASSUMA A RESPONSABILIDADE

Qual o grande problema da humanidade? Colocar a culpa de tudo em Deus. Foi assim desde os primórdios com Adão, Eva, a serpente e Lúcifer. Quando alguém perde um parente, pode apostar que a culpa cairá em cima de Deus. Se você já fez isso, não se preocupe. Todo mundo faz. Você está na média. Isso é mentalidade mediana. Quando você se comporta igual a todo mundo, sua mentalidade é rasa. Não tem nada que me deixa mais transtornado do que ver duas, três, quatro pessoas ou mais ecoando o mesmo discurso sem pensar no que estão falando. Na hora, eu já penso que se todos estão concordando, fatalmente eles estão errados. Estão numa frequência que os impede de enxergar outros pontos de vista. Um dia veio um clique na minha cabeça. Deus não tem como matar ninguém. Não se pode imputar um homicídio a Ele, porque nenhum tribunal vai julgá-lo. Eu sou jurista e, no dia em que percebi que ninguém vai julgar a Deus, entendi que Ele faz o que quer, Ele é soberano. Portanto, não se pode atribuir a ele culpa alguma.

Abandone a postura vitimista

Vamos tratar de uma das coisas mais absurdas que fazem qualquer pessoa, de qualquer raça e de qualquer cultura não prosperar: o vitimismo. Essa é a raiz da mentalidade mediana. O vitimista sempre encontrará desculpas para tudo. Já fui vítima. Lembro de uma bronca que ganhei na Brasil Telecom, quando fui reclamar que o meu salário era ruim. Alguém chegou em mim com muito carinho e disse: "O salário é uma busca individual. O seu crescimento é uma busca individual. Isso é um problema seu e não da empresa". Eu queria que aumentassem o meu salário mesmo sem "merecer". Não adianta questionar a razão pela qual fulano ganha mais. A busca dele é individual, ele investe, ele aparece, ele tem resultados que você não tem. O que acontece quando eu coloco a culpa do meu insucesso no meu patrão? Eu me coloco na posição de vítima. Quando coloco a culpa no Estado, sou vítima. Quando coloco a culpa em Deus, sou vítima. Quando coloco a culpa no diabo, sou vítima. Quando coloco a culpa no meu pastor, sou vítima. Quando coloco a culpa do meu insucesso nos meus amigos, sou vítima. Quando o patrão coloca a culpa nos funcionários, ele é vítima. Quando ele diz que não tem mão de obra qualificada e joga a culpa nas pessoas, ele é a vítima. Mas ele é quem não entende de recrutamento e não investiu tempo e energia suficientes nessa busca. Então, veja que não são só os funcionários e os cidadãos que são vítimas. A pessoa pode ser um empresário, pode ser o presidente do Brasil e continuar se colocando na posição de vítima. A vítima é insegura, ela culpa os outros por tudo. Está sempre ofendida, é orgulhosa e trabalha com achismos. Eu achei que você não ia, achei que você não gostava, achei que era lá. A vítima não pergunta. Vítimas têm cheiro de ofensa, de terceirização, de culpa e de inveja.

Por que bandido rouba? Porque ele é vítima. Ele é chamado sociologicamente de vítima do sistema. Muitas vezes um entregador – ele não era bandido até aquele momento –, tenta tomar o Rolex de um bacana no trânsito. Esse cara veio da escola da vitimização do sistema. Ele se vitimiza por não poder andar de Rolex ou de Patek Philippe. Então, ele cai no conto do Lúcifer e tenta tomar o relógio de alguém. Sei que muitos pensam que bandido bom é bandido morto. Bandido bom é bandido arrependido. E esse entra até no Paraíso. Jesus perdoou aquele que se arrependeu. As pessoas não foram treinadas para serem bandidas. Elas viram bandidas devido à vitimização. Vivemos num sistema de valorização da criminalidade, que dissemina o ódio entre o pobre e o rico. O pobre quer matar o bacana e o rico quer o bandido morto. É por isso que tem mais de 40 mil homicídios por ano no Brasil. Imagine se ensinassem em todas as escolas as crianças a não serem vítimas, a não colocar a mão em nada de ninguém e a trabalhar porque no suor do trabalho irá dignificar suas vidas. Certamente, o cenário seria outro.

Certa vez, doei sete toneladas de alimentos para a África. Por mais que seja um volume considerável, em algum momento, a comida acabará. E depois? Decidi nunca mais fazer esse tipo de doação. O caminho é dar a eles o que comer hoje e ensiná-los a produzir. Só assim eles serão livres. Em Luanda, capital de Angola, ensinei uma comunidade a plantar. E o questionamento daquelas pessoas foi: "E quando as sementes acabarem?". Fiz um juramento de vida. Enquanto eu estiver vivo, doarei sementes a eles. Podem comprar quantas fazendas quiserem, e eu vou bancar o cultivo. Contudo, nunca vou colocar uma semente no chão por eles. O problema das pessoas medianas é querer ganhar o pronto. Eu não quero nem ensinar o cara a pescar. Eu quero que ele vá atrás de comprar uma vara. Eu não vou dar a minha. Eu dou meu tempo e minha instrução para quem quer. O restante é ele quem tem de fazer. Vítimas não prosperam. Então, decida largar agora todo o papel de vítima que está protagonizando. Porque a vítima não é coadjuvante, ela é protagonista de um filme de miséria.

Não tenha medo de errar

Estava ensinando meu filho a cortar grama e ele disse que era difícil, que não conseguiria. Então, perguntei: "Quem disse que é difícil? E quem disse que você não pode errar? Eu quero que você erre. Ninguém está te cobrando acertar. Isso não é prova da escola". Então, eu pergunto a você. Quem o obrigou a acertar? Quem o obrigou a começar acertando? Vocês precisam desconstruir a mentalidade de que precisam começar a fazer as coisas do jeito certo. Aqui está o segredo. Pare de tentar fazer certo! Você não fará. Você não é Salomão, o mais sábio, rico e famoso rei de Israel. Observe uma criança, uma formiga. Elas farão errado primeiro para depois acertar. Temos que parar de tentar ser perfeitos. Isso não existe.

O medo é combatido com ação imediata de enfrentamento. Tem que agir rápido para evitar que ele cresça e tome conta de tudo. Esses dias estava pensando por qual razão Deus não ajudou Gideão a desbloquear do medo os 30 mil homens que o seguiam. Deus poderia ter feito isso, mas as aventuras Dele são muito mais incríveis. Nelas, sempre parece que Deus vai perder, mas Ele não perdeu uma guerra, de Gênesis a Apocalipse. Ele não perderá a sua. Ele é invencível. De um batalhão de 30 mil soldados, restaram apenas 300 homens após uma seleção feita pelo Senhor. Acredito que a presença de comando daqueles 300 soldados deveria ser algo assustador a ponto de parecer que eles valiam mais do que os 30 mil. Eles valiam mesmo porque eram valentes que não baixam a cabeça, que não se veem como cachorro, que não são dominados pelos intestinos, que não são desesperados e que têm presença de governo e de comando. Deus tirou todas as armas dos caras e deu a eles apenas fogo e trombetas. Só tinha um detalhe: havia uma estratégia e eles precisavam fazer tudo juntos. Anote o código: batalhão tem que ter unidade. Quem não tem medo, desenvolve uma estratégia e tem unidade conquista qualquer coisa.

Um medroso no meio dos valentes atrapalha tudo. Isso porque o medro se alastra, ele é paralisante. Você não deve andar com o medroso. Não se conecte com ele. Se ele quiser desbloquear os medos, ajude-o. Caso contrário, deixe-o ir. Outra dica: quanto maior for o espaço vazio em seu cérebro, mais estará sujeito ao medo. Esse é um dos segredos da insegurança: a improdutividade. A equação é simples: produtividade pequena = medo grande; produtividade maior, mais ação, mais resultado = medo menor. Uma pessoa confiante não abre espaço para o medo. Quem é governado pelo dinheiro também sucumbe ao medo, porque quando o seu tesouro são as coisas da Terra, a insegurança de que as pessoas possam tomá-lo atormenta sua cabeça. Como faz para resolver? Em lugar de bens materiais, faça das suas causas seu tesouro mais precioso. Aplique sua vida e sua energia numa causa. Isso ninguém pode tirar de você. Não precisa temer.

> Quanto maior for o espaço vazio em seu cérebro, mais estará sujeito ao medo.

Aprenda com as experiências ruins

Às vezes, a vida bate na gente com força. Tem pessoas que passam por grandes humilhações ou desgraças. Acredite, essas experiências negativas fornecem as ferramentas mais poderosas para o seu cérebro. São as melhores ferramentas e não podem ser compradas na Leroy Merlin. Elas capacitam você para aguentar trancos. Se você passa por frustrações e revoltas desde cedo, pensamentos negativos ou suicidas jamais passarão pela sua cabeça. Pobre morre de suicídio? Não. Porque vive se frustrando e está tudo certo. O cérebro dele aceita. Ensine seu filho a ter frustração para ele não querer pular de prédio depois.

138 | Pablo Marçal

AGORA É COM VOCÊ!

Reflita: você se faz de vítima? Em quais situações? Como pode se posicionar de forma saudável daqui para frente?

COMO SE LIVRAR DE UMA MENTALIDADE MEDÍOCRE | 139

Quais medos lhe impedem de crescer?
Liste soluções para enfrentá-los.

Capítulo 19

DEIXE DE DEPENDER DOS OUTROS

Existem níveis diferentes de necessidade de aprovação. Aprendemos a identificar o quanto dependemos do aval de terceiros à medida que amadurecemos. Eu achava que não dependia de ninguém até que fui comprar um carro e, na dúvida de qual modelo escolher, pensei em ligar para uma pessoa que entende do assunto. Refleti e não fiz a ligação. Eu tenho que fazer minhas escolhas. Não posso deixar essa decisão nas mãos de alguém que não dirigirá o meu carro todos os dias. Quando temos de fazer algo, mas nos podamos diante do que fulano pensará ou se ele concordará, somos amordaçados por nós mesmos. Ficamos sufocados. No dia em que você se livrar da necessidade de aprovação alheia, você tocará o terror na Terra! O maior remédio para os problemas da maioria das pessoas é a liberdade. Se for livre, você cura o mundo todo. No Método IP (Treinamento de Inteligência Emocional baseado em programação Neurolinguística que criei), em São Paulo, certa vez, uma senhora contou que havia pedido a bênção do pastor para participar. Na hora eu pensei: "Será que o pastor dela é o Jim Jones"? Ele foi um dos maiores pastores dos Estados Unidos e convenceu quase cinco mil pessoas a venderem tudo o que tinham e mudarem para a Guiana. Houve denúncias contra o religioso, e o governo americano foi investigar. Então, o líder espiritual convenceu três mil pessoas a beberem veneno. Esse episódio se tornou o maior suicídio coletivo da história. Como assim pedir bênção para ir ao IP? Você não tem que pedir autorização a ninguém. Deus já deu todas as autorizações de que você precisa.

Cuide da sua vida!

Perdemos muito tempo e energia focando no que as outras pessoas estão fazendo. Esse é um pensamento mediano. Quando você parar de controlar os outros, acontecerá um fenômeno em sua vida: você cuidará dela. Então, acontecerá outro fenômeno: você não aceitará que ninguém mande mais em você.

Quando eu tinha nove anos, pedi algo a meu pai e a resposta foi: "Vá cuidar da sua vida!". Você pode estar pensando que essa é uma coisa terrível para uma criança ouvir. Na verdade, todo mundo deveria ser preparado para cuidar de suas vidas. Todo mundo deveria ser preparado para se virar em qualquer tipo de situação. Quem é treinado desde pequeno para enfrentar qualquer tipo de adversidade é capaz de compreender que a vida não é tão difícil. Você pode me soltar no meio do Marrocos ou no meio do oceano e eu vou me virar. Vou encontrar uma saída. Sempre existe uma saída. O homem é tão insuportável que arrumou um jeito de sair da Terra. Se tem saída da Terra, o que não terá saída?

Tem pessoas que passam a vida inteira sem aprender a se virar. É alguém derrotado, que fica abalado com a opinião alheia. É alguém que não cuida da própria vida e permite que outras pessoas cuidem. O que é cuidar da sua vida? É entrar numa rota de crescimento, de prosperidade. Você tem que cuidar da sua vida para deixar de ser frágil e parar de depender do que os outros pensam a seu respeito. Você tem que cuidar da sua vida para deixar um legado. Quem não cuida da sua vida, vive dependente. E quem cuida, vira inspiração.

Gosto de falar: "Vá cuidar da sua vida". Essa frase ofende. Ofende quem? Quem quer cuidar da minha vida. Contudo, não vou me ofender se alguém a disser para mim. A resposta será: "Isso é o que sei fazer de melhor". O "vá cuidar da sua vida" está no imperativo. Portanto, é uma ordem. Quem pode dar essa ordem? Só quem cuida da própria vida.

Todo mundo que cuida da própria vida pode comprar o que quiser, o carro que deseja, morar onde sonha, ir ao país que quiser e fazer o que quiser. No entanto, você acha qualquer um no mundo viverá isso? Não. Porque cuidar da vida pode ser difícil. Você quer fazer uma faculdade, mas seu pai fica contrariado, porque ele quer que você se forme no curso que ele não fez. Você sucumbe! Não dá para cuidar da vida tendo o sonho de ser presidente de uma empresa que não é sua. Você será aprisionado naquilo o resto da vida. O segredo para cuidar da sua vida é o desapego. Desapego, por exemplo, do emprego mais ou menos que serve só para pagar as contas no fim do mês. A coragem e a ousadia o farão ter contas mais altas e dar conta de pagá-las.

Vou ensinar um método infalível para você cuidar da sua vida e ir para a próxima fase. Chegou de barco até aqui? Afunde o barco para não ter jeito de voltar. Veio por aquela ponte? Coloque uma dinamite para explodi-la e não ter perigo de voltar por ela. Veio com fulano e ele quer voltar, corte a relação com essa pessoa. Elimine as possibilidades de retroceder. Seja rebelde. Quem começa a cuidar da própria vida é tido alguém que não quer ouvir os outros. Tem que ser assim. Escute apenas as pessoas que você coloca na posição de conselheiras. Não escute opiniões. Opinião é mercadoria medíocre de quem não tem compromisso com o resultado final.

Quero que saiba que valerá a pena cuidar dessa vida, porque Deus cobrará justamente o que você fez com ela. Deus cobrará você de ter cuidado da sua vida, porque, quando faz isso, você transborda de tal forma que esse transbordo afeta milhares de pessoas. Pare para pensar: por que dobram o seu salário só quando você diz que sairá do emprego? Por que o quadro do pintor só vale muito depois que ele morre? Por que as pessoas passaram a amar Ayrton Senna após sua morte? Valorize essa vida. Ela só tem valor agora. O que você está fazendo com a sua vida? Na pergunta, habita a sabedoria. Sabe o que é cuidar da sua vida? É abandonar a vida de otário, deixar de se preocupar com o que as pessoas falam e deixar de esperar pela aprovação delas. Esqueça isso. Cola em Deus e faz o que Ele mandou!

Livre-se das prisões mentais

Prisões mentais são bolhas. Estamos algemados a várias delas sem nos darmos conta disso. A Apple, por exemplo, é a maior bolha do mercado tecnológico no mundo. Eles ganham mais dinheiro com adaptador do que com qualquer outro aparelho. Se você tem um celular Samsung não conseguirá conectá-lo em um notebook da Apple. A empresa faz a troca de conector de seus aparelhos para que você não consiga usá-los e pense que está com um equipamento desatualizado. Faz você acreditar que precisa de um modelo novo. Existem apenas duas opções: adquirir o lançamento mais recente ou comprar um adaptador. A Apple criou uma bolha que torna seus usuários separatistas do restante do mundo. A empresa leva a acreditar que a Microsoft e a Samsung não prestam. O curioso é que o fornecedor de componente de vidro da Apple é a Samsung. Contudo, a Samsung não presta porque não tem o mesmo adaptador que a Apple tem.

O que a religião, as famílias e as empresas fazem? Fazem você acreditar que só existe um conector. E que só é possível se conectar com os outros daquela maneira. Quando você perceber que foi programado para receber comandos, vai pirar! O grupo mais alienado é o religioso. Quando eu falo de religião, não estou ofendendo evangélicos e católicos. Estou falando de toda gente que faz o mesmo que a Apple. Induzem você a acreditar que só naquela igreja haverá salvação. Quando dizem: "Só aqui tem isso" ou "Só aqui é assim" estão tirando de todos algo que Jesus deu lá em Gálatas: a liberdade. Existem bolhas em diversas esferas. Quem gosta de rock e só ouve esse estilo musical está em uma bolha. Sabia que os maiores ídolos do rock não ouviam rock? Eles curtiam música clássica. Se você só escuta um estilo e acredita que só aquilo presta, você está preso a uma bolha.

Destrave seus bloqueios

A maior parte dos bloqueios acontece na infância. Um pai ausente causa bloqueio mental no filho. Um pai autoritário causa bloqueio. O filho carrega a imagem do pai e a transfere para Deus. O filtro paterno cerebral é por onde Deus passa. Não o Deus vivo, mas a forma como você o recebe. Seu pai é muito autoritário, é assim que você vê a Deus. Seu pai foi ausente, você se questiona sobre a existência de Deus. Eu tinha um bloqueio causado pela relação com meu pai. Ele era funcionário público, logo eu e todos em casa tínhamos um entrave com a questão da estabilidade. Eu destravei aos 15 anos, quando comecei a estudar programação Neurolinguística e entendi que não podia carregar meu pai nas costas. Ele queria que eu fosse médico, advogado ou funcionário público, como ele. Certo dia, ofereci pagar a faculdade de medicina para ele e nunca mais tocou no assunto. Ele queria que eu fizesse tudo aquilo que não foi bom o suficiente para fazer. Se você for um homem livre, não colocará sonhos falidos na cabeça dos seus filhos. Honrar pai e mãe é aceitar como eles são. Isso é uma coisa que já resolve o problema de quase todo mundo. Não dá para carregar seus velhos nas costas. Quando você floresce e prospera, eles têm a chance de enxergar que fizeram algo de bom na vida.

O cérebro é muito sensível e ele te ama. Todo bloqueio é amor excessivo do cérebro para protegê-lo de más experiências. Seu cérebro te tranca para que você não chegue perto daquilo que foi muito pesado para ele. Eu amo um bloqueio. Toda vez que percebo meu cérebro mimado, lanço um desafio e caio para dentro! Há vários tipos de bloqueio e, se você não se livrar deles, será uma pessoa limitada em diversas áreas.

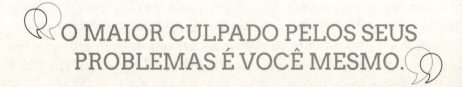

O MAIOR CULPADO PELOS SEUS PROBLEMAS É VOCÊ MESMO.

OS BLOQUEIOS MAIS COMUNS SÃO:

• NECESSIDADE DE APROVAÇÃO:
Quem teve pais autoritários e exigentes durante a infância passa a vida inteira pedindo mentalmente autorização e recebendo uma resposta negativa diante dos desafios da vida. Isso faz com que você deixe de fazer aquilo que precisa ser feito.

• APRENDIZAGEM:
Durante o processo de aprendizagem, alguém o privou de ser ousado e criativo. Bem nesse momento, você foi humilhado e essa atitude o fez se fechar e ter medo de expor suas ideias.

• AUTOIMAGEM:
Se a forma como você se enxerga é moldada de acordo com a opinião alheia, você não será pleno em seus caminhos.

• ESCASSEZ:
Quem tem esse tipo de bloqueio está sempre em busca de estabilidade. E estabilidade não existe! A escassez fará você, mesmo tendo dinheiro, morrer de medo de perdê-lo.

COMO DESBLOQUEAR?
O comando é simples. Aperte control + alt + delete. O control é o controle. O alt é alterar aquela cena. E o delete é apagar aquela experiência para que você possa experimentar uma vida nova.

Identifique a voz que fala com você

Experiências ruins também podem causar bloqueios mentais. Eu quase fui bloqueado na África. Aconteceu um mal-entendido no aeroporto por conta de uma doação de suplemento alimentar que levei na minha bagagem. Um policial agiu de má-fé e disse que me prenderia por tráfico internacional de cocaína. A substância estaria nas latas de doação do suplemento. Esse agente da alfândega fez muito terrorismo comigo. Qualquer pessoa normal teria desmaiado diante de tanta pressão. Achei que tinha caído numa emboscada de algum doador que estava me usando para traficar. Fechei o olho e pensei: "Graças a Deus não estou na Malásia". Mantive a calma e disse a ele que só poderia me prender quando estivesse com um laudo, pois não havia provas contra mim. Ele ficou chocado com a minha paz. E eu já imaginando a manchete no Jornal Nacional no outro dia: "Pablo Marçal é preso por tráfico internacional". Até que ele disse que havia sido um engano e me liberou.

Por mais duas vezes, surgiram bloqueios em minha cabeça em relação ao projeto que tenho na África. Algo me dizia: "Fecha seu coração para esse povo". Porém, tenho muita clareza para identificar qual voz fala comigo. Sei quando é o cérebro quem está falando, quando é a alma ou quando é o espírito. Aliás, isso é o que mais gosto de ensinar aos outros. Deus é o que menos fala. O segundo que menos fala é o diabo. A voz que mais se comunica com você é proveniente da química cerebral. A segunda que mais tenta falar, e quase sempre é amordaçada, é a alma. E a que você não ouve nunca é a voz do espírito. Você só escuta uma faísca. Isso porque você anda tanto com a carne que a faísca não consegue atingir seu espírito. Quando ouvi aquela frase para me fechar, entendi que teria muitos problemas na África, mas eu não poderia ser simplório. Não poderia sucumbir ao bloqueio.

COMO SE LIVRAR DE UMA MENTALIDADE MEDÍOCRE | 147

AGORA É COM VOCÊ!

Analise quais são os bloqueios que o fazem ter uma mentalidade medíocre. Seja sincero e analise realmente aquilo que o impede de evoluir. O que é necessário deixar para trás?

_____
_____
_____
_____
_____
_____
_____
_____
_____
_____
_____
_____
_____
_____

10 códigos
para evoluir e prosperar

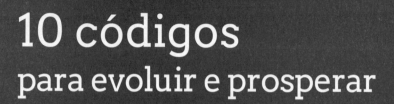

1 Riqueza tem propósito. Pense: para que riqueza se não for para cumprir o seu propósito?

2 Para todos aqueles que acessarem bons ambientes, que investirem em conhecimento e praticar, além de fazer networking, será impossível não prosperar.

3 Tire duas coisas da sua cabeça: ganância e ambição. Na ganância, você troca tudo por dinheiro. Já na ambição, apenas foca em prosperar e esquece quem está a sua volta, sobretudo a sua família. Não troque pessoas por coisas!

4 Viva a autorresponsabilidade. Não culpe ninguém e nenhuma circunstância pelos seus fracassos. Assume a sua vida! O que você vive hoje é a frequência que você construiu!

5 Muitos acham que ser rico é crime. Liberte-se dessa crença para prosperar!

6 Quanto mais bem imaterial você tiver, mais forte ficará. Exemplos: sabedoria, networking, disciplina, energia espiritual e resistência.

7 Para ter paz, tem que vencer a guerra! Geralmente, ficamos em paz em uma esfera, enquanto a outra está em guerra. Para ter a paz plena, não tem como estar nesta Terra! A pessoa que está em crescimento, tomando decisão, sempre está em guerra!

8 Transbordar é um dos bens imateriais mais prósperos nesta vida. Como você tem somado na vida do outro? A alma generosa prosperará. Ao ser tocado, você não retém, e sim transborda. A generosidade é um ato voluntário não esperando nada em troca.

9 Quando Deus quer mandar algo para mais pessoas, ele manda em excesso para o generoso. Cuidado! Ser generoso não é ser otário!

10 Nunca aprenda nada de prosperidade com quem é escasso!

Capítulo 20

LIBERTE-SE DA ESCRAVIDÃO

Quando alguém perde a governança sobre si, coisas terríveis acontecem. Por que existem tantos homicídios no Brasil? Pense na quantidade de pessoas que matam os outros. Essa pessoas perderam o governo de suas vidas. Então, você precisa governar sua cabeça. O provérbio 16:32 diz: "Melhor é o homem paciente do que o guerreiro, mais vale controlar o seu espírito do que conquistar uma cidade". O que quer dizer? Mais vale quem governa sobre si do que Napoleão que ganha territórios. E como fazer isso? Controlando sua mente.

Quando as pessoas não governam a si mesmas, precisam de alguém para governá-las. Não aceito que as pessoas digam que trabalham para mim. A palavra diz que temos de trabalhar para alguém como se fosse para Deus. Não acredito que ninguém nasceu para ser bom funcionário. Então, quem trabalha comigo é treinado para ser maior que eu. Todos os meses muita gente deixa as minhas empresas. E dificilmente demitimos alguém. Isso só acontece quando alguém estaciona e não demonstra interesse em crescer. As pessoas saem das minhas empresas para abrirem seus próprios negócios. Saem para prosperar mais. Trabalhar comigo é um treinamento. Um treinamento para ela ser maior do que quando entrou. Quem governa em todas as esferas é capaz de abandonar o nivelamento e romper camadas. Para isso, é preciso ter governança sobre si, sobre o ambiente e sobre os princípios. Pessoas de qualquer nação que acionarem o governo mental e espiritual e entenderem que a Terra foi dada por herança para governar vão pirar!

Conheço lideranças em igrejas, na sociedade, na política, em todos os níveis. E descobri uma coisa: só existe líder, porque você não faz o que deveria fazer. Tenho um projeto na África de construir cidades. Meu negócio é chegar, levantar a cidade e partir para a próxima. E entregar o poder a eles. Levei um cineasta para fazer um filme da região em que estamos atuando e, quando o drone subiu para captar as imagens, vimos que havia prosperidade na vizinhança, mas, no local onde eles moravam, era só pobreza. Então, disse a eles que, se não pegarem o poder, serão escravos a vida inteira. Nem mesmo Portugal escravizou aquele povo da maneira como eles estão se escravizando. Não é o diabo que escraviza, é a mentalidade. Vou falar algo que pode parecer absurdo, mas quem tem controle mental absoluto não tem nem conversa com o diabo. Aí você dirá que o diabo não existe. Como não existe? A mentalidade miserável e limitante que está em você é a prova de que ele existe. Tem dois grupos muito errados: aquele que pensa que o diabo não existe e o outro que acha que tudo é culpa dele.

Estou nesse projeto de construir cidades, porque a igreja leva o evangelho, mas não resolve o problema de terra e de governança daquele povo. É impossível trazer o reino se a gente não tomar a política. Onde atuamos não tem nenhuma igreja. Vamos construir a cidade sem igreja. A igreja virá depois e são eles quem farão. Quando só havia miséria naquele lugar, ninguém queria ajudar, ninguém queria pregar o evangelho. Quando a prosperidade começou a chegar, apareceram as igrejas. Porém, ensinamos princípios a eles. Não vamos aliená-los e não vamos deixar que as igrejas os alienem. Alguns religiosos ensinam a palavra direitinho, mas são alienadores porque dizem que só eles serão salvos. Eles são mentirosos e deturpam a palavra de Deus.

Melhor é o homem paciente do que o guerreiro, mais vale controlar o seu espírito do que conquistar uma cidade. *Provérbios 16:32*

Partilhe conhecimento e respeite os não capacitados

Sabedoria produz tristeza e fardo. Tristeza, porque você desejará mostrar o que sabe para todo mundo e ninguém fará questão de ver. Fardo, porque você terá que carregar as pessoas que ama, mesmo sem conseguir mudá-las. Ou abrir mão delas. Por exemplo, minha mãe fala brincando: "Você podia me dar dinheiro". Eu falo que dou na hora em que ela quiser, basta que abra uma empresa. Eu invisto o tanto de dinheiro que ela quiser. Mas dar? Não dou a ninguém, mesmo sendo a minha mãe. Sim, e nunca faltará nada a ela. No entanto, é o seguinte: se quiser produzir, estou dentro. Se não quiser, pode ser minha mãe, meu pai, qualquer um, que não darei. Eu sou mal? Não sou mal, Deus também é assim. Deus é bom e Ele só dá semente para quem produz.

Você pode ser o que quiser e se casar com quem quiser. Entretanto, cônjuges em níveis de evolução muito diferentes sofrem. Os dois lados sofrem. O segredo é um nunca tenta comandar o outro. O que Jesus fala sobre o homem ser o cabeça, o líder, não é hierarquicamente. Não é na vertical, e sim na horizontal. Significa que o homem não é o chefe da mulher, o homem morre primeiro. Foi isso que Jesus fez. Então, cresça o tanto que você puder, mas não esqueça da pessoa ao seu lado. Aceitem um ao outro. Eu nunca deixei de crescer por conta da minha mulher, mesmo quando ela não estava acompanhando. Ela me via atender artista, jogador de futebol, apresentador de TV e pedia para eu ser coach dela. Eu dizia que não. "Sou seu marido, não quero ser seu coach", sempre respondia a ela. Até tentamos, mas não deu certo. Tentei fazê-la ver o que eu via, mas ela enxergará na hora que puder. É preciso haver paciência com quem está crescendo e com quem já cresceu.

Cerque-se de bons exemplos

Há uma diferença violenta entre interação e intimidade. A maioria das pessoas tem interação com seus filhos e seus cônjuges. Contudo, nem todos têm intimidade. Para ser íntimo de alguém, é preciso olhar nos olhos, estar junto, rir das mesmas besteiras. Intimidade não é transferível. Você tem de ir e pegá-la. Tem de encostar o ouvido no coração da pessoa. Certa vez, um amigo, um executivo com um cargo acima do meu na Brasil Telecom, mostrou uma foto dele com o Ronaldo para mim. Ele estava se gabando por estar com o jogador em um condomínio de Copacabana, no Rio de Janeiro. Então, perguntei se o Ronaldo lembrava dele. Ele ficou sem graça e se calou. Assim será no final dos tempos, quando Jesus olhar para você e disser que não te conhece.

Vou contar um segredo sobre intimidade. Você pode fazer tudo que Jesus mandou, mas você não é íntimo Dele. Você pode operar milagres, sinal, prodígio, pode fazer tudo, e, no final, Ele falará que não te conhece. Alguém pode alegar que Jesus tem amnésia? Ele não tem problema de amnésia. O que ele está dizendo? "Se você não for meu amigo, pode fazer tudo que eu faço e ainda assim não terei nada com você". Mais vale ser amigo Dele do que operar qualquer milagre.

Como ser amigo de Jesus? Traga-o para dentro das suas coisas. Quando vamos fazer um negócio juntos, sentamos à mesma mesa. Se você fizer algo que faria Jesus se levantar e sair da mesa, está fora do jogo. Tenho amigos que são bem puros e, se começarem a falar de mulher, o cara sai. Um testemunho para vocês homens. Vocês podem revirar meu celular e não vão encontrar nenhuma pornografia. Ninguém manda pornografia para mim. O último que mandou foi há três anos, um senhor de quem eu alugava uma sala comercial. Ele perguntou se eu não gostava e eu respondi que era um homem de respeito. Na Bíblia fala: "As más conversações corrompem os bons costumes". Qual é o caminho para vencer as tentações? Eu só tenho tentação para aquilo que criei trilha neuronal. É a dica que eu dou para todo mundo. Se você nunca mexeu com isso, não mexa.

CCC

Se você fez escolhas ruins que causaram sofrimento, use sua história para beneficiar outras pessoas. Ao contá-la, talvez você perca crédito com quem o conhece, mas terá uma recuperação de crédito com quem não o conhece. Faça um CCC, que significa: captar a história, convertê-la e canalizá-la para ajudar aos outros. E lembre, o perdão é a maior vingança de todas. Quando perdoamos, não carregamos a amargura e nem a pessoa a que nos fez mal. Essa é a maior vingança de todas: ser livre desse peso.

Semeie prosperidade

A riqueza é uma ciência. Ciência significa saber. Como gerar riqueza? A geração vem de uma gravidez. A terra engravida, mulheres engravidam, aplicações financeiras engravidam. Só fêmeas engravidam. Quando Deus coloca o alvo no seu coração, introduz na sua alma que é fêmea. Sua ideia precisa de uma fêmea. Eu não engravido processos de empreendedorismo em uma máquina. A incubadora de qualquer processo de enriquecimento é a mente. Então, as fêmeas multiplicam. Porém, para fazê-las multiplicar e dar retorno, são necessárias sementes. Alguém engravida naturalmente sem encostar no macho? Não tem como. O macho carrega a semente. E o macho dá trabalho. Trabalho é macho. Salário é macho. Isso não enriquece. O que enriquece é a fêmea. Para ter frutos, pare de colocar dinheiro em macho. Coloque sementes na terra, na aplicação, na empresa e o retorno virá. Não existe a possibilidade de você plantar numa terra e não colher muitas vezes mais. Qual é a principal terra que eu tenho? Você. Você é uma terra assustadora. No entanto, se for uma terra que não perdoa os outros e cheia de crenças, nem aceitará a semente.

Você tem crenças erradas sobre enriquecer. Não adianta achar que trabalhar duro vai fazê-lo enriquecer. Não adianta achar que acordar cedo vai fazê-lo enriquecer. Se acordar mais cedo fizesse enriquecer, o padeiro seria o mais rico. E o networking? Se fizer networking e esquecer do relacionamento e da reciprocidade não adiantará nada. Quando começar a entender a ciência que está por trás da prosperidade, sua busca não será por coisas rasas. Vocês querem riqueza para ter sucesso. Sucesso é inexistente. Sucesso é simples. Você pode fazer um estrondo e rapidamente todo mundo saberá quem você é. Mas é isso o que está buscando? Conquistar frutos é diferente de conquistar sucesso.

Qual é a ciência que fez Salomão enriquecer? Muitas pessoas acham que Deus foi o responsável, mas não foi, acredite. O que fez Salomão enriquecer foi ele ter um pai que o ensinou a pedir sabedoria a Deus. Deus deu a sabedoria, mas não a riqueza. A sabedoria é a semente. O que Salomão fez? Encarregou a vida inteira de plantar essa semente e começou a prosperar, porque só queria saber disso. Quando você consegue pegar qualquer coisa, planta e faz esse plantio gerar riqueza, estará no caminho da prosperidade.

Inspire-se na natureza

Como se resolve um problema no campo? É preciso fazer a terra florescer. Havia um produtor de milho que sempre ganhava prêmios pela sua produção. O que ele fazia para ter o melhor milho? Ele doava sementes para todas as fazendas vizinhas. Ele investia nas melhores sementes. A fazenda ficava no centro da doação. Então, as abelhas pegavam do milho bom e levavam para ele. Onde está o segredo? Quando você começa a florescer, as pessoas em volta florescerão também.

Ao despejar uma gota de óleo em 37 litros de água, toda aquela água ficará imprópria para o consumo. Uma única gota de óleo tornará a água impura. No entanto, uma gota de água límpida depositada em algo impuro não mudará nada.

COMO SE LIVRAR DE UMA MENTALIDADE MEDÍOCRE | 155

AGORA É COM VOCÊ!

Quais sementes tem plantado para evoluir?
São sementes boas, ruins ou medianas?
Faça uma análise abaixo e coloque metas para começar a plantar sementes de qualidade extrema.

O que te impede de evoluir?

Prosperar é crescer. O que te impede de prosperar? A inconstância é um dos principais impeditivos da prosperidade. Qual é o problema da pessoa inconstante? Quem não tem constância tem a ilusão de que concluirá todas as tarefas que iniciou. Isso é impossível. Quando alguém quer fazer muita coisa, acaba sem terminar quase nada do que começou. Falta prioridade.

Anota esse código: mais vale uma "terminativa" do que cinco iniciativas.

Você foi configurado para iniciar as coisas e não terminá-las. Na prática, é necessário coragem para pausar e cancelar tarefas. Precisa saber falar não. A maioria das pessoas não consegue dizer não aos outros. Essa é uma configuração mental. Se você não fala o não, aquele sim que precisava para prosperar também não sairá. Anote: o não é um sim para o meu propósito. Se te chamarem para fazer algo e aquilo for desviar o foco daquilo que está investindo no momento, diga um não. Não interessa para quem será essa negativa.

Nosso cérebro precisa ser treinado para prosperar. Temos bilhões de ligações neurais prontas para receberem novas configurações. E como fazemos isso? Por meio de treino. O cérebro é dividido em dois hemisférios, sendo o esquerdo movido pela razão e o direito pela emoção. Quando for fechar um negócio, use o lado racional. Ele permitirá que você avalie a situação friamente e fará os cálculos necessários para garantir um bom resultado final. Já a riqueza habita o lado emocional do cérebro. Ela fica no extremo oposto de onde se concentra a capacidade racional para os negócios. O grande lance é conseguir conectar essas duas esferas por meio de novas ligações neurais. A razão serve para fazer o controle de despesa e o emocional para a administração de riqueza.

Vamos supor que você tem vontade de levar sua esposa ou seu marido a um restaurante, mas não tem dinheiro. Vá. Vá nem que seja para tomar apenas um suco. Muitas pessoas não conseguem acessar certas ilhas neurais, porque foram configuradas a pegar o cardápio e escolher o que pedirá com base no preço, e não no que quer comer. Isso é escassez. Ainda que você não tenha o dinheiro agora para escolher o que quiser no cardápio, vá ao restaurante. Treine a vida que você quer ter. E mentalize que um dia estará lá sem se preocupar com o valor da conta. Isso é experimentar o próximo nível.

AGORA É COM VOCÊ!

Quais ações que costuma fazer no seu dia a dia que aguçam a escassez em sua vida? Reflita e mencione qual será o novo posicionamento para combatê-la.

Resistência para prosperar

Não adianta só ter força de vontade. Tem que resistir sem vontade. Se fosse seguir minha vontade, não levantaria amanhã às 4:59h. Quem me conhece sabe que só não acordo nesse horário se estiver doente. E ainda hoje não acostumei. Para prosperar você precisa ser resistente. Um obstáculo não pode fazê-lo desistir. Um aperto não pode fazê-lo desistir. Esse é o problema das pessoas que não rompem: falta de resistência. No entanto, a mudança não pode ser no tapa. Tem que ser progressiva. Tem de haver paciência.

O que me trouxe até aqui não foi a inteligência, e sim a resistência. Resistir até depois do fim. Há uma frase atribuída a Charles Darwin que diz: "Não é o mais forte que sobrevive, nem o mais inteligente, mas o que melhor se adapta às mudanças". Adaptabilidade significa resistência. Processos de adaptação doem. O que você tem que fazer nesse tempo é forçar para que o amadurecimento aconteça mais rápido. Invista em networking, conhecimento que te libertará e em sabedoria que tracionará o conhecimento que você tem. Não precisa estudar muito. Pare de estudar tanto. Foque em certas habilidades e tracione aquilo até romper.

É muito comum as pessoas acharem que engolirão uma pílula de conhecimento e farão um lançamento digital para vender R$ 1 milhão. Às vezes, elas levarão três anos para atingir essa meta, porque o conhecimento é raso, a persistência é pequena e a resistência é baixa. Não significa que elas estão fazendo errado. O problema é que não dão conta de resistir. Vejo um monte de gente surtando, porque quer o mesmo resultado do outro. E cada resultado é diferente. Você tem que respeitar isso. Se for resistente, uma hora acontecerá. Contudo, te falta motivo todo dia, te falta energia.

Você quer mudar de vida de verdade? Não deixe nada para amanhã, nem para ontem. Faça hoje. Só hoje. Em 2015, parei de beber refrigerante. Minha técnica foi pensar: só por hoje. Com resistência, você alcança a frequência e a constância necessárias.

Faça novas conexões

Pessoas que carregam amizades da infância para a vida adulta se comportam como crianças. Elas não crescem, não evoluem. Coisas que você não sabe estão em pessoas que você ainda não conhece. Estou construindo uma cidade na África e esse nunca foi meu alvo. Essa ação não fazia parte do meu propósito. Porém, a parte do propósito que você descobrirá amanhã está em uma pessoa com a qual você não se conectou ainda. As novas etapas do propósito não estão em pessoas com as quais você já está conectado. Elas dependem de novas fusões. Portanto, cuidado com quem você anda. Sei que você gosta das pessoas que estão junto de ti hoje. Deus as ama. Você só gosta delas. E como você só gosta, dá para soltá-las. Teve um momento que me chocou quando aconselhei os angolanos a não terem raiva dos portugueses, porque percebi que eu também era colonizado. E quando eu disse para não terem raiva dos portugueses, a raiva me pegou. Tem várias coisas alojadas dentro da gente que nem sabemos. Naquela hora, eu liberei o perdão. E pensei que bom que os portugueses descobriram a gente. Eles trouxeram um monte de porcaria para cá, mas contribuíram com o avanço também. Como você remove a mentalidade mediana? Olhando para o que foi bom.

Imagine que você ganhou uma fábrica da Porsche com um contrato fechado para vender mil carros e a matéria-prima para produzir essas mil unidades. No entanto, você não sabe produzir. Veja a riqueza que é isso. Cada Porsche vale R\$ 1 milhão. Não precisa gastar energia para vender o carro ou para comprar insumo. Você só precisa descobrir como faz. A única coisa que falta é instrução e pessoas para executar. Sabe por que dizem que a riqueza é escondida? Porque uma das maiores riquezas é conectar com quem sabe fazer. Quando você chega nisso, já era. A pessoa que sabe produzir Porsche pode estar à sua frente, ao seu lado. Precisa conectar, porque o Senhor não dará um propósito para você cumprir sozinho. Eu nunca vi isso acontecer. Quando Deus levantou Davi para governar Israel, Davi levantou 37 valentes. Quando Moisés f oi chamado por Deus, seu sogro Jetro disse: "Você terá que levantar líderes de líderes". Moisés tinha amizade com o Deus vivo e mesmo assim não resolveu nada sozinho. E quando foi a hora de passar o bastão, tinha um menino lá, o Josué. Ninguém fará nada sozinho, porque, se você morrer, o seu bastão cai no chão. Por isso, o Senhor criou o homem e a mulher, a fim de os dois não ficarem só. Por isso, o Senhor colocou aparelho reprodutor neles – multiplicador de DNA – para terem filhos e ninguém ficar sozinho.

O Senhor não quer beneficiar uma pessoa, ele quer beneficiar um povo. Então, quando ele escolhe Moisés, estava pensando em um povo. Quando ele escolhe Davi, estava pensando em um povo. Quando ele escolhe José, estava pensando no povo de Israel que passaria fome. Quando Ele escolhe você, está pensando em um povo. Como você quer prosperar se não tem um povo? O povo mais importante de todos é o da sua casa. O Brasil não existe se não tiver ajuntamento de famílias. Empresas não existem se não tiver ajuntamento de famílias. Nada existe se não tiver ajuntamento de família. Por que algumas pessoas querem destruir a família? Porque ela é a base de tudo. Você sai para trabalhar e pode ser muito bem-sucedido, mas, se não tiver ninguém em casa para compartilhar, não tem graça. Tem gente que tem milhões, mas não tem paz para curtir a vida com os filhos. Tem gente que tem bilhões e nem filhos tem. Qual é a lógica de prosperar a não ser por um povo? Pegue a Bíblia de Gênesis a Apocalipse, Deus abençoou pessoas dando um recado: é para o povo. Não tem um único caso em que o Senhor prosperou uma pessoa para benefício somente dela. Foi sempre para um povo. Qual é o povo mais importante da Terra? A minha família. Às vezes, você não consegue prosperar ou acessar a riqueza ou sabedoria, porque pensa: "Sou incapaz". Pegue esse código: mesmo sendo incapaz, minha família merece. Isso não será mais uma desculpa. Sua família merece, então você fará o que for preciso por ela.

Mova-se!

Pessoas não são árvores. Pessoas andam. E o fato de elas se deslocarem resulta em crescimento. Se você quer mudar sua mentalidade, terá que se movimentar. Tudo que Deus criou tem movimento. O ar, a Terra, as águas, os animais e as plantas. Tudo está seguindo um curso, menos você que vive parado. Observe a natureza e perceba que tudo é naturalmente próspero. Contudo, as coisas artificiais, feitas pela indústria, não se movem, não se multiplicam e não prosperam. Se eu tiver uma montadora e precisar produzir cinco mil carros, eu preciso fazer todos os cinco mil. Contudo, se eu plantar manga, haverá produção de mangas enquanto eu estiver vivo. E, depois que eu morrer, essas mangas continuarão.

O movimento das coisas estabelece uma frequência. É preciso buscar pela frequência expansiva. Porém existem alguns impeditivos para alcançá-la. Você foi programado para ser uma pessoa organizada. Eu tenho repulsa de organização! Tudo na criação se move em desordem. Desordem aponta para crescimento. Veja as partículas, os prótons, os elétrons e os nêutrons. Eles não conseguem se organizar, mas crescem de forma desordenada. A prosperidade não é sobre dinheiro, é sobre crescer.

Muita gente não prospera porque espera crescer de forma ordeira.

Quando estamos parados, não conseguimos observar o movimento das coisas. Se você avista um avião, ele parece devagar. Se você está dentro dele e olha para baixo, tem a impressão de que ele está devagar, mas ele voa a 900 km/h. Parece que as coisas estão indo devagar, mas estão indo muito rápido. Não sei se você percebeu, mas estamos no século 21. Já vamos entrar na terceira década do século 21. E nesse tempo em que vivemos a tecnologia levantará a maior quantidade de pessoas multimilionárias e bilionárias na história da humanidade. O futuro está recrutando pessoas.

Você precisa se mover para abandonar crenças, energias e experiências erradas. Quanto mais se move, mais livre é. Até mesmo uma árvore pode ser movida de lugar. É possível removê-la e plantá-la em outro terreno. No entanto, se a árvore for colocada numa terra ruim, não dará fruto. Se for plantada no asfalto, não dará fruto. O movimento é necessário para você descobrir os lugares que fazem sentido. Conecte-se com pessoas que fazem sentido. Entre em frequências que fazem sentido.

Você pode se perguntar: "Por que não consigo prosperar?". E eu respondo: "Porque você não é natural". Se você afirmar que é sim, então, alguém ou algo artificial está entrando em sua receita. O problema está na receita. Aposte no generalismo, aprenda várias coisas, contrate especialistas. Entenda o que é profissão, o que é empreender e o que é investir. Pare de achar que você é menor do que as coisas, menor que as instituições. Você nasceu para governar! O homem nasceu para governar. Ele faz parte da natureza. Só que ele não entende que as coisas precisam se mover. O que ele faz? Ele se rebaixa e cria algo chamado estabilidade. Coloque uma coisa em seu coração: estabilidade não existe. Nada, absolutamente nada, consegue ser a mesma coisa que era quando vira o dia.

Coloque uma coisa em seu coração: estabilidade não existe.

A pergunta é: se todas as coisas se movem por que você não está se movendo? Por que insistir nas coisas que não fazem mais sentido. Por que tentar diversas vezes a mesma ação que está dando o mesmo resultado e colocar a culpa do fracasso em outras pessoas? O movimento é real. Um exemplo: uma semente originária de um local pode ser plantada em todos os outros cantos do mundo. O trigo, por exemplo, é oriental. Ele estava em um único lugar, se moveu e ocupou todos os continentes. A maioria de vocês vive as experiências dos outros e não vivem as próprias experiências porque não se movem. Quando você mudar de continente, seu mapa do mundo vai expandir. Quando você conectar com pessoas que têm resultados que você nunca teve, seu resultado também vai mudar. Quando fizer coisas que nunca fez, será curado emocionalmente de muitas feridas.

Tudo que você colocar a mão, prospera. O seu toque move as partículas e, no movimento, as coisas prosperam. Você é tão natural que naturalmente consegue fazer as coisas naturais prosperarem. Então, por que você não coloca as fichas naquilo que acredita? Por que não faz as conexões que são necessárias? Por que não começa seu projeto de negócio? Feche os olhos, respire fundo e responda: o que você precisa fazer para se mover na direção daquilo que você foi chamado para realizar?

Quem já participou do meu IP – Método de Treinamento de Inteligência Emocional – sabe que não sou alienador. Fico batendo na tecla: não foque em mim. Se eu quisesse alienar, faria um exército inteiro, mas não é isso que quero. Tenho formação em branding e em marketing, e quem entende do assunto, diz que estou errado quando falo para as pessoas me deixarem quando conquistarem seus objetivos. Não estou errado. Quando você ficar bom o suficiente, quero que pare de me acompanhar. Caso contrário, você seguirá atrás de mim a vida inteira. Ao andar abaixo de um cara a vida inteira, você fatalmente será mais idiota que ele. Se ficar me escutando e não fizer nada, não farei você prosperar mais. Você terá que andar para o lado e se conectar com outra pessoa. Lembre-se disso. Não pode estacionar na vida.

Trabalhe por resultados

Eu não confio em gente que não dá resultado. Quando cobro as pessoas, elas acham que estou reivindicando resultados positivos. Tanto faz se o resultado é positivo ou negativo. No neutro, só fica quem não faz. Quem não faz, não tem negativo nem positivo. Simplesmente, não tem resultado. Falar que ainda fará não dá resultado. Contar a história dos outros não dá resultado. Quem tenta, não consegue. Quem faz, consegue. Mesmo que precise de várias tentativas. Um dos maiores segredos do sucesso é muito simples: faça! Existe algo essencial dentro de você: é uma porção de Deus dentro de você. E isso não é mágico. Um religioso dirá que é uma unção. Alguém que ignora a parte espiritual vai dizer que você treinou muito e realmente é bom no que faz. Para mim, o nome de tudo isso é um só: resultado.

Existe uma escala na mentalidade mediana. Percorrê-la do primeiro estágio até o último o levará a uma mudança determinante para sua vida. A mediocridade é encabeçada pelas crenças negativas. Essas crenças paralisam, impedem a progressão. Após vencer esse estágio, as crenças passam a ser positivas. Mais confiantes, avançamos para a ação. Agir, por meio de testes e experimentações, leva ao resultado. Não importa se o resultado alcançado é bom ou ruim. O importante é você ter feito alguma coisa. O acúmulo de resultados leva ao fato. Os resultados são convertidos em fatos. Vou explicar melhor. Imagine um ateu ou agnóstico. Ele tem uma crença negativa em relação a Deus. Agora, vamos pensar em alguém que não tem fatos com Deus, mas tem crenças positivas em relação a Ele. Crença positiva significa acreditar em algo que não tem resultado ainda. É só uma crença. Mas se esse alguém fizer ações de ir em busca do Deus vivo, terá resultados. E resultados levam aos fatos.

Na minha experiência, posso afirmar que todas as pessoas que apresentam resultados e fatos prosperam. Quem vive de crença positiva só ri, mas não leva. Já quem vive no primeiro estágio, fica travado. Vamos destravar. A crença negativa faz você dar um passo para trás, ficar depressivo e paralisado. Se você vive com medo, está no nível um. Nada vai dar certo. Você tem certeza de que vai dar errado, porque a crença negativa o tira do eixo. Você não fica no neutro, fica na ré em uma ribanceira. A pergunta é: qual é a sua distância das crenças negativas? Chega de ter uma mente medíocre!

Crenças Negativas
Elimine pensamentos que não o fazem prosperar. Acredite na sua evolução e que é capaz.

Ação Positiva
Com a mente fortalecida, comece a agir! Não adianta bons pensamentos, se não colocarmos em prática.

MENTALIDADE FORTALECIDA

Fatos
Os seus resultados farão história. Cumpra o seu propósito.

Resultados
Após a semeadura, comece a colher os resultador.

AGORA É COM VOCÊ!

Quais são suas crenças negativas que o impedem de crescer?

___
___
___
___
___
___
___
___
___
___
___
___
___
___
___
___
___

COMO SE LIVRAR DE UMA MENTALIDADE MEDÍOCRE | 167

Como podem ser suas novas atitudes para destruir as crenças negativas, agir e colher resultados?

Conclusão

Você sabe negociar?

Negociar é uma trilha, e o objeto a ser negociado é uma linha de chegada. O primeiro passo para iniciar uma negociação é tratar o outro como você gostaria de ser tratado. Essa é a base da arte de negociar. E isso se aplica na vida profissional, no casamento e em todas as esferas de sua vida.

Como segundo passo, é preciso reconhecer o seu ego e se despir dele. Afinal, para uma negociação ser bem-sucedida, a sua personalidade não deve se sobrepor jamais. Você precisa de treino de empatia para saber quando e como colocar em jogo as suas vontades e desejos. Isso porque, caso os seus interesses entrem no tom ou na hora errada, poderá colocar a sua negociação a perder.

Quando você apresenta uma proposta e a outra parte faz uma objeção, a negociação poderá ser concretizada. Acredite, essa é a expressão de real interesse pelo objeto em questão. Se outro não estiver, de fato, interessado na negociação, ele informará diretamente que não quer prosseguir com o assunto e ponto final. Captou esse código?

Lembre-se: a outra parte sempre tem um lado humano com emoções, bagagens e expectativas. Entender isso é fundamental para conquistar o outro e chegar aonde deseja. Assim, no primeiro encontro, pegue na mão do outro e ligue um "relógio mental", enquanto você conversa com o outro. Conte cerca de cinco minutos para quebrar o gelo com uma interação que, aparentemente, não tem nada a ver com o tema da negociação.

Conversas rápidas e aleatórias podem fazer o outro manifestar suas percepções sobre política, economia, família, filhos e futuro. Nessas primeiras trocas, é possível observar se a pessoa está insegura ou motivada.

Exatamente por isso não comece a negociar logo de imediato. Assim como um piloto de avião precisa se comunicar com a torre para saber se pode pousar, decolar, se precisa mudar a rota, se tem a prioridade na pista ou se tem que arremeter, e não pode tomar atitudes sem as devidas informações e negociações, você – que está fechando um negócio – também precisa coletar dados e saber a hora certa de agir. Não tente fazer um pouso forçado, pois as consequências podem ser extremamente negativas.

Quando estiver comprando, faça perguntas! Extraia toda e qualquer informação, por mais irrelevante que possa parecer. Já quando estiver vendendo, cuidado ao falar demais. Acredite, tudo o que você fala na hora de vender ou de comprar poderá ser usado contra você. Este é um dos pilares da arte de negociar.

Chega daquela história de pensar: "O não eu já tenho" no momento de conquistar um objetivo. Ressignifique para: "Eu sou o sim que as pessoas procuram". Mude sua mentalidade para atrair o que deseja.

5 passos da negociação

Cada dedo de uma mão representa um termo da negociação. Do polegar ao dedo mínimo: "oi", "tudo bem", "tô não", "tá sim" e "é nóis". Parece simplório, mas não é. Então, o que isso significa?

"Oi?" – Abordagem: seja cortês com o outro.

"Tudo bem?" – Sondagem: perguntas iniciais para descobrir a intenção e o ânimo da pessoa e até o poder de fogo dela na negociação.

"Tô não" – Argumento: apresente o que você está negociando, mas não fale em excesso. Apenas solte uma "pílula" da sua proposta.

"Tá sim" – Controle de objeção: lembre-se que qualquer desculpa serve para reverter o resultado.

"É nóis" – Encantamento: construa um relacionamento após a venda. Fidelize o encantamento para gerar uma recompra. Isso serve para qualquer negócio.

Não tente em ir direto ao argumento. Respeite os processos!

Negociar pode não ser tão fácil logo de cara: é preciso conhecer as técnicas, treinar, adquirir experiência e seguir em frente, aprimorando-se e lembrando que não há outros seres no mundo que não sejam acessíveis para se fazer esse negócio. Portanto, desbloqueie-se! Livre-se do medo de negociar, de se comunicar e de vender.

Outro ponto importante na arte de negociar é ter a governança da sua vida. Tenha a gestão do seu tempo, foque na sua produtividade. Existem três pilares da governança: corpo, alma e espírito. Quem toma as rédeas dessas três esferas está a anos-luz na frente dos outros.

Governe sua mente, sua boca e seu coração. Quando você governa a si mesmo você governa o mundo!

> **Você deveria ter sido treinado desde pequeno a se virar, para perceber que a vida não é tão difícil como você pensa.**

50 CÓDIGOS

para você ativar
de vez os seus
drives mentais da
prosperidade

COMO SAIR DO ZERO E FICAR RICO!

1 Honrar pai e mãe significa respeitar a condição.

2 Aceite rápido, ressignifique rápido
e conecte rápido à prosperidade.

3 Antes de iniciar qualquer projeto, questione-se:
"Isso aqui contribuirá com o que para eu realizar o meu
propósito?". Não contribuirá com nada? Larga!

4 Por que você se sente culpado?
Porque você não governou na hora que tinha que governar.
Quer parar de sentir culpa? Governe!

5 Não aceite conselho de quem não governa a própria vida.
Se a pessoa não tem nem a capacidade de cuidar dela mesmo,
como pode aconselhar alguém?

6 Deus te dá o direito de prosperar, mas o dever
é o seu de plantar. Deus dá a semente ao que semeia.

7 Quem mais cria problema é aquele que mais prospera,
pois está preparado em buscar soluções.

8 A impaciência é uma toxina.
Quando você está desesperado, perde mais ainda.

9 Existem dois tipos de sabedoria: a vertical e a horizontal. Na
vertical, você abre seu coração para se conectar a Deus. Já na
horizontal, é a sua experiência que carrega ao longo da vida.

10 Tudo que desce no mundo, sobe. É um desenho do universo, é cíclico.

11 A maior parte das pessoas vive ocupado com coisas
e com emoções que não as fazem prosperar.

12 Pilote a sua vida em todas as esferas!

13 Quem faz uma única coisa a vida inteira é como se fosse uma música de uma nota só. Seja multifacetado como Deus é.

14 Não fique escravo de um único negócio. Do jeito que você fez um negócio crescer, você pode fazer outros. Seja livre!

15 Ninguém para alguém que tem propósito.

16 Quem aguenta tranco é melhor do que aquele que é especialista, que é muito bom.

17 Procrastinar é roubar a sua alma. A sua alma deseja fazer, mas o seu corpo não deixa. Em toda vez que estiver procrastinando, pense: "Estou sendo assaltado!". A sua alma deseja coisas que seus olhos nunca viram. Ou seja, o corpo não trabalha em prol da sua alma, pois ele não acredita no que a alma viu.

18 Tem um ladrão na sua casa, ele mora lá e está roubando a sua alma! O nome dele é procrastinação. Você vai deixar que ele permaneça lá? Enfrente-o e não permita isso! Toda vez que começar a procrastinar, fale: "Saia daqui agora! Vou fazer o que deve ser feito agora! Vamos para cima!".

19 Por que uma pessoa é exagerada? Porque ela é insegura! Ela fica se reafirmando em todos os instantes. Quando descobrir que é assim, pense: "Eu vou ficar trabalhando para a minha insegurança? Não, eu quero ser um homem seguro!".

20 O mentiroso tem um único problema: ele quer ser amado! E como a história dele não é mirabolante, ele mente, ultrapassa a barreira do exagero para tentar agradar a todo mundo.

21 É muito melhor você ser uma pessoa que tem sal e que, muitas vezes, chega nos lugares e incomoda do que ser alguém que deseja agradar todo mundo.

22 A riqueza é a ciência da transformação.

23 Dinheiro não é sinônimo de riqueza. Há pessoas que têm muito dinheiro, mas são escassas.

24 Muito dinheiro sem ter a sabedoria da gestão financeira acaba sendo uma tortura para qualquer pessoa.

25 Ser é identidade. Fazer é desdobrar a identidade e ter é colher o fruto do que foi plantado na identidade.

26 Crise é riqueza trocando de mãos.

27 Qual é o código de quem é rico? O "X", que é multiplicador. Já o divisor é de faccioso, aquele que gosta de brigar e que acaba com casamento, amizade, empresa etc. Tudo em prol da facção do coração dele.

28 As experiências positivas ou negativas, ao longo do tempo, serão sempre boas. Invista em experiências!

29 A sua vida não pode ser pautada na aquisição de coisas. A Palavra diz: "Buscai primeiro o reino de Deus e a sua justiça e as demais coisas".

30 O que você, como pai, tem que fazer pelo seu filho é ajudá-lo a descobrir a identidade e o propósito dele.

31 Cada família tem uma figura chamada José, do Egito. Esse prospera mais e os outros ficam à margem. Quem é você na sua família?

32 Tenha experiência de mesa com a sua família. Eu almoço em casa todos os dias. Esses momentos únicos fortalecem os nossos filhos.

33 Nossa casa deve ser o melhor lugar do mundo.
E se a sua não for, deve ser por isso que você vive trabalhando.

34 Você está pensando em ficar rico para parar de trabalhar?
Não funciona! Dá trabalho para manter a riqueza.

35 A primeira coisa que vem na mente de um milionário a ter acesso a dinheiro é fazê-lo render mais, e não consumir coisas materiais. Exatamente por isso que muitos ganhadores da Mega-Sena perdem tudo, pois consomem em vez de investir.

36 Se você for esforçado com instrução, terá fartura.
Já se for apressado e imediatista, acabará em ruína.

37 Se tiver orgulho no seu coração, você não prospera.

38 Salário não aponta para a riqueza, e sim para o consumo. E se o seu cérebro estiver configurado para o consumo, mesmo se você receber R$ 100 mil reais de salário, você consumirá o valor total.

39 Atualmente temos acesso à tecnologia e à informação,
o que potencializa a geração de riqueza.

40 Não há nada novo embaixo do céu.
Basta fazer o download dos códigos e fazer a modelagem.

41 A nova economia é high-tech, é a inteligência de negócio.
O principal dessa economia é o acesso.

42 Afronta gera humilhação e desconstrução em uma pessoa.
Então, não faça isso com ninguém.
Confronto, por sua vez, é para edificação sua e de terceiros.
Tenha sabedoria e nunca afronte ninguém.

43 Um tolo nunca abre mão da vingança, já um sábio sim.

44 Quem é bom em desculpas não é bom em mais nada.
Esse código é para acabar com o vitimismo e instalar a
autorresponsabilidade.

45 Feito é melhor que perfeito. O perfeccionismo pode travar
vários projetos na sua vida. Faça o melhor que você tem
com as melhores ferramentas disponíveis.

46 Erre muito, mas nunca nas mesmas coisas.
Quem não erra é porque nem tentou. Quem errou descobriu
uma forma de não fazer e está avançando para a prosperidade.

47 Mentalize você alcançando o mais do que seu cérebro desejou.
Se sua mente enxergou, então basta você conquistar, pois já é seu.

48 A inveja é um sentimento tóxico que não deve ser alimentado.
Não existe "inveja branca". Rejeite isso! Você não precisa desejar o
que é do outro. Se uma pessoa conseguiu, você também é capaz.

49 A felicidade é permanente e a infelicidade é transitória.
A tristeza é fruto da quebra de suas expectativas e da
forma negativa que você olha a situação ao seu redor.

50 A sua felicidade só depende de uma coisa: de quem você é!
A sua identidade é a imagem e semelhança do Criador.
Esse deve ser o motivo da sua felicidade!

Pablo Marçal